L'Art de porter

les talons hauts

L'Art de porter les talons hauts

Les secrets de l'élégance

Tina Karr

illustré par
Sophie Fauquembergue

BÉLIVEAU
éditeur

Conception et réalisation de la couverture : Sophie Fauquembergue
Photographie de l'auteure : Michel Paquet
Conception graphique et mise en page : Sophie Fauquembergue

L'Art de porter les talons hauts^{MC} est une marque de commerce.

Tous droits réservés pour l'édition française
© 2012, BÉLIVEAU Éditeur

Dépôt légal : 2e trimestre 2012
Bibliothèque et Archives nationales du Québec
Bibliothèque et Archives Canada

ISBN : 978-2-89092-534-2

BELIVEAU éditeur

920, rue Jean-Neveu
Longueuil, Québec, Canada J4G 2M1
514 253-0403 Télécopieur : 450 679-6648

www.beliveauediteur.com
admin@beliveauediteur.com

Gouvernement du Québec – Programme de crédit d'impôt pour l'édition de livres – Gestion SODEC – www.sodec.gouv.qc.ca.

Nous reconnaissons l'aide financière du gouvernement du Canada par l'entremise du Fonds du livre du Canada pour nos activités d'édition.

IMPRIMÉ AU CANADA

le stiletto

Table des matières

REMERCIEMENTS   12

PRÉAMBULE   14

PRÉFACE   16

INTRODUCTION   18

I   La femme et les talons hauts   24

1   Accessoire de fascination   28
  - *Oh ! ces talons*   29
  - *Talons et séduction*   29
  - *Sortez ces talons du placard*   31
  - *Porter des talons, ça s'apprend*   32

2   Le courage d'être soi-même en talons hauts   33
  - *L'influence de la mode*   34

3   La gestuelle   35
  - *L'apprentissage de notre corps durant l'enfance*   36
  - *Le corps que nous nous sommes bâti*   36
  - *L'éternelle quête de la beauté*   41

4   Être soi   42
  - *Le langage du corps*   43

II   Comment acheter ses chaussures   44

1   Connaître ses pieds   49
  - *Petite leçon d'anatomie*   49
  - *Structure du pied*   50
  - *Les formes du pied*   51
  - a   *La voute plantaire*   51
  - b   *Les points d'appui*   53

2   RECONNAÎTRE SON PIED   53

    Faites le test « humide »   53
    Faites le test « à sec »   54

3   CHAUSSEZ CE PIED   54

    La largeur   55
    La pointure   55

4   DÉNICHER LA BONNE PAIRE   56

    Le test de stabilité   57
    Le test du poids   58
    Coussinets ou pas coussinets   58
    La forme   59
c   *Le talon*   59
d   *Et ces orteils ?*   61
e   *L'arche*   61
f   *Les sangles, courroies et fermetures éclair*   62
    De la qualité, svp   63
    L'essayage   64
    Questions à se poser   64
    Cherchez le bon équilibre   66
    L'essai   67
    Vos observations   67
    Les achats en ligne   68
    Les accessoires   69

III   LE PRINCIPE DE LA VERTICALITÉ   70

1   L'IMPORTANCE DE LA POSTURE   74

    Comment tient-on debout ?   74
    Ces gazelles   75
    Les effets des talons sur le corps   76
a,b,c   *Les postures à proscrire*   79

2   QUELLE EST LA POSTURE IDÉALE ?   81

d   *La bonne posture debout*   83
    L'auto-évaluation   83
    Identifiez les points à corriger pieds nus   86
    *Identifiez les points à corriger
en talons hauts*   87

3   L'IMPORTANCE DE LA VISUALISATION   89

4   ADOPTER LA BONNE POSTURE
EN POSITION ASSISE   91

    Pleins feux sur le bassin   91
    Soutenir le dos ou pas   93

Soulager les tensions 93
Créer de l'espace 94
Encombrement 95

5 La respiration 96
Respirer n'est pas inspirer 97
L'expiration dans l'effort 98
La respiration en talons hauts 99

IV Comment porter les talons hauts 100

1 La réflexion : l'amie des talons 104
Réfléchir avant d'agir 105
Réfléchir, c'est sexy 106
L'environnement 107

2 Apprendre à marcher 108
Pourquoi est-il si difficile
de marcher en talons hauts ? 108

3 La marche 109
a La présentation du pied 109
On avance ! 111
Catwalk ou pas ? 112
Precipitevolissimevolmente… 113
Les bras 113
b L'arrêt ou la pause Cocktail 114
La démarche, le chaloupage ! 115
Marcher, ça s'apprend ! 115
Non, non et non 116
Le pas sexy 117
Laissez la panthère agir ! 118

4 Les escaliers 119
Le repérage 121
c La descente 121
d La montée 122

5 Les obstacles 124
Les bêtes noires des talons hauts 125
Comment gérer les bêtes noires ? 125

6 Virevolter 127

7   S'asseoir   128

     Savoir s'asseoir correctement   129

     S'asseoir sur une chaise   130

     S'asseoir en voiture   131

     Sortir du siège du passager
     avec un cavalier   131

     Coquinerie   132

     Au lit   132

V   TALONS HAUTS ET MISE EN FORME   134

     L'éternelle jeunesse   139

1   ASSOUPLISSEMENTS   141

a, b, c Le bassin   141

d   *Les chevilles*   145

e   *Les pieds*   145

     Les orteils   145

2   MUSCLER CE CORPS   147

Dans la cuisine :

f   *Les chevilles et mollets*   147

g   *Les fessiers*   147

Dans les escaliers :

h   *Le dos - les abdos - les cuisses*   149

Dans la salle de bain :

i   *Les fessiers - les cuisses - le dos*   149

j   *L'équilibre*   151

Dans la chambre à coucher :

k   *L'intérieur des cuisses*   152

     Les fessiers   152

     Les abdos   153

     les abdos transversaux   153

3   LES ÉTIREMENTS   154

l   *La colonne vertébrale*   155

m, n Les mollets - les cuisses -
     le tendon d'Achille   159

o   *Le cou-de-pied*   161

p   *Les pieds*   161

4   GYM OU PAS ?   162

5   RÉCUPÉRATION RAPIDE EN VOITURE   164

     Mon petit truc infaillible !   164

     Assouplissements   165

     Étirements   165

     Massage des pieds   166

VI Pathologies et soins   168

1 Les gros bobos   173
Déséquilibre et posture   173
Le dos   173
Le cou   174
Les genoux   175
Les mollets   175
Les chevilles   175
Le tendon d'Achille   175
Les pieds   176

2 Les petits bobos   177

3 Le bichonnage, svp !   181
Les bains de pieds   181
Les huiles essentielles   182
Le gommage à la pierre ponce   182
La coupe des ongles   183
Le massage   183
L'hydratation   185
Le vernis   185

VII L'art d'être femme   188

1 L'élégance   192
*L'élégance ne se résume
pas aux apparences*   193
L'authenticité   194
*Les principes de base de l'élégance :
l'allure*   195
Le discours   196
*Les principes de base
des bonnes manières*   197
En public   198
À table   199

2 La féminité   200
Femme ou objet   201

3 La Féminité et l'estime de soi   203
L'estime de soi : mieux s'aimer   204
La confiance en soi : osez agir   205
L'affirmation de soi : face à l'autre   207

4   La galanterie   208
     La galanterie et les talons hauts   **209**

CONCLUSION   212

BIBLIOGRAPHIE   216

ANNEXES   218
     Les 7 commandements de la juchée   **219**
     Les 18 conseils éclair   **220**
     21 paires de chaussures
     à avoir dans son placard   **222**
     Tous les styles   **226**
     Anatomie de la chaussure   **230**
     Les talons démystifiés   **235**
     Trucs et conseils pour entretenir
     vos chaussures   **238**
     Ma liste de créateurs   **242**

À PROPOS DE L'AUTEUR   246

À PROPOS DE L'ILLUSTRATRICE   248

REMERCIEMENTS

À VINCENT,
L'HOMME DE MA VIE

Affinant mes pensées de ton souffle juste et concis
Tu sondes mon âme et fouilles dans ma tête
pour en saisir le sens profond
Empoignant les images, tu marques mes intentions
de ton empreinte.

Toutes ces nuits blanches à tes côtés à lécher les mots
Comme un ballet ininterrompu, ils dansent, se colorent
et prennent vie
Les pages se succèdent, s'étirent et s'envolent enfin.

Complice depuis toujours et demain encore
Accompagnant chacune de mes folies.

Sans toi ce livre ne serait pas ce qu'il est !

Préambule

« **L**es talons hauts ont été inventés par une femme qui en avait assez d'être embrassée sur le front », disait Marcel Archand.

On est bien loin de cette affirmation même si elle nous fait sourire.

Le port de talons hauts, comme complément à l'élégance et à la féminité de madame ou de mademoiselle, fait l'objet de témoignages sérieux comme de taquineries amusantes.

Il n'en demeure pas moins que la femme qui déambule du haut de ses talons en affichant la finesse et l'élégance de son maintien, ainsi que l'assurance de son pas souple et félin, ne manquera pas d'attirer le regard de la gent masculine. Elle démontrera avant toute chose qu'elle possède tous les pouvoirs pour exprimer sa grâce et faire valoir ses atouts de séductrice.

Dans son livre, Tina Karr s'est donné la mission d'aider les femmes et les jeunes filles à se doter de moyens leur permettant d'affirmer leur féminité tout en assumant de façon maitrisée le port des talons hauts. Tina aborde de façon détaillée et exhaustive les aspects du port de ces échasses, ainsi que les incidents qui y sont reliés, nous présente l'anatomie du pied, souligne l'importance de l'achat de la bonne chaussure et la manière de la porter, passe en revue la mise en forme préalable, le tout coiffé de conseils sur l'art d'être femme.

Toutefois, en tant que chirurgien-orthopédiste (à la retraite), je dois mettre en garde ces dames de ne pas se lancer dans le port de talons hauts sans s'y préparer de façon adéquate. Le port de ces chaussures peut devenir un exercice périlleux et causer des ennuis sérieux jusqu'à des blessures importantes.

Tina expose de façon détaillée des conseils judicieux à cet effet. Je ne puis que recommander la lecture attentive de ce livre et surtout de bien appliquer les conseils et les recommandations que l'auteur y expose.

> « *Pour bâtir haut, il faut creuser profond* »,
> Proverbe mongol

HENRI CARRIER M.D.

Après une spécialisation en chirurgie-orthopédique aux États-Unis et au Royaume-Uni, le Dr Henri Carrier a pratiqué à l'hôpital régional de Chicoutimi tout au long de sa carrière. Membre et par la suite chef du Service d'orthopédie de l'hôpital, il a été nommé membre honoraire du Conseil des médecins et dentistes en 1982. Dr Carrier a été nommé membre émérite de l'Association médicale canadienne en 1991.

Préface

J'ai abordé ce livre avec la tête emplie d'idées préconçues et stéréotypées. Pourquoi vouloir écrire un livre sur le port des talons hauts alors que je vois régulièrement leurs effets dévastateurs sur le corps de mes patientes? Pourquoi vouloir promouvoir ce soulier, véritable objet de torture, dans une société moderne et active? En général je ne passe pas une semaine sans déconseiller le port des talons hauts à ma clientèle féminine qui a les pieds ravagés par la douleur.

Dès les premières pages, j'ai vite compris que je me trompais. Ce livre n'a pas pour but de promouvoir le talon haut mais bien d'informer les femmes sur l'art de le porter sans pour autant se faire torturer et tomber dans la vulgarité.

Je crois qu'il faut être femme pour comprendre le sentiment d'assurance qui nous enveloppe lorsque nous chaussons ces merveilleux petits talons hauts. Néanmoins, il faut savoir faire un choix avisé autant sur la hauteur de ceux-ci que sur l'occasion où nous allons les porter. À chaque occasion sa chaussure! Ne croyez pas qu'il est sexy de vous pavaner avec des talons aiguilles de dix centimètres lors d'une soirée en plein air sur le gazon. C'est la chute et l'humiliation garanties!

À ce propos, vous découvrirez tout un chapitre rempli de judicieux conseils qui vous seront utiles non seulement pour savoir choisir vos talons mais également pour tous les types de chaussures. Portez une attention particulière aux sections traitant des différents problèmes que vous risquez de rencontrer lorsque vous aurez succombé à une chaussure qui n'est pas vraiment conçue pour vos pieds. En plus d'y retrouver une brève description de ces affections, vous pourrez en apprendre davantage sur les conseils de prévention et les soins à prodiguer à la maison, avant d'aller consulter un professionnel de la santé dans les cas plus graves.

Ce traité aborde tous les aspects entourant le port des talons hauts, allant du choix de ces bijoux jusqu'à l'entretien et l'entraînement que nous devons transmettre à notre corps afin qu'un professionnel de la santé comme moi ne vous dise plus de les ranger dans votre garde-robe.

L'auteur, ancienne ballerine, nous enveloppe dans un univers féminin, rempli de gracieux conseils et d'explications qui nous permettent de mieux comprendre cet objet tant convoité par les femmes de tous âges. L'entraînement qu'elle nous suggère saura vous guider afin de prévenir les blessures et de renforcer toutes les régions de votre corps non seulement pour vous permettre le port de talons hauts mais également pour briser tout en douceur et gratuitement le cercle vicieux de la sédentarité dans le confort de votre maison.

Mesdames, laissez-vous guider avec élégance, intelligence et sensualité dans l'univers de la féminité que nous mettons parfois de côté dans notre quotidien ou que nous adaptons difficilement à la vie de tous les jours. Vous en sortirez amusées, confiantes et averties !

Bonne lecture !

DRE JOANIE VAILLANCOURT

Femme passionnée, Joannie Vaillancourt étudie à l'Université du Québec à Trois-Rivières en médecine podiatrique avant de parfaire sa formation par un stage de quatre mois à la « Foot Clinic of New York College of Podiatric Medecine ». Diplôme en main, elle décide de servir la communauté dans sa ville natale et ouvre une clinique qui porte son nom, à Longueuil, sur la Rive-Sud de Montréal, afin de soigner, dans une ambiance chaleureuse, tous ceux qui ont des problèmes aux pieds.

INTRODUCTION

« *La femme est sans doute une lumière, un regard, une invitation au bonheur, une parole quelquefois ; mais elles est surtout une harmonie générale, non seulement dans son allure et le mouvement de ses membres, mais aussi dans les mousselines, les gazes, les vastes et les chatoyantes nuées d'étoffes dont elle s'enveloppe, et qui sont comme les attributs et le piédestal de sa divinité.* »

CHARLES BEAUDELAIRE

Quelle mouche a bien pu me piquer?

Dans une boutique de chaussures très chic du centre-ville, je m'étais mise à regarder avec attention quelques femmes manifestement surexcitées par la nouvelle collection printanière tout juste dévoilée. Comme de petites abeilles, elles bourdonnaient autour des présentoirs, laissant échapper ici et là de petits cris d'émerveillement. Quelques jolies vendeuses, les bras chargés de boites, ne cessaient leurs allées et venues entre l'arrière-boutique et les grands canapés où les acheteuses fébriles attendaient impatiemment. Aux pieds de ces princesses d'un jour, les boites, déposées les unes sur les autres, formaient quelques pyramides précaires dans lesquelles étaient enfouis les trésors tant convoités.

L'atmosphère était à la fête! Les sourires s'accrochaient aux lèvres de celles qui tenaient enfin les chaussures rêvées! Fébriles, elles osaient à peine s'assurer que la pointure leur convenait. Telles de rares pièces d'archéologie, elles les examinaient sous toutes leurs coutures, les renversant, les basculant, les pesant et les caressant délicatement, humant de leur nez averti l'odeur musquée du cuir qui éveillait en elles mille et un gages de plaisirs à venir. Oseraient-elles seulement y glisser leurs pieds?

Toutes ces gazelles essayaient de cacher leur empressement, le froissement des feuilles de papier de soie provoquant aussitôt des frissonnements tout le long de leur dos. Soigneusement, elles moulaient leurs pieds un à un au creux des protagonistes de leur jubilation. Hum... Qu'elles se sentent prises enfin... puis éprises.

Le coup de foudre pourrait alors se confirmer et la magie faire son œuvre. Une chaude vague traversait leur corps. Ensorcelées, elles accusèrent l'affront avant de reprendre leurs esprits. Oscillant délicatement, elles se levèrent enfin et admirèrent du haut de leur tour ce qui provoquait en elles autant d'émoi. Elles étaient bombardées par une surdose d'hormones, et les chambardements s'activèrent.

Une nouvelle femme se dessinait. Le bassin basculait à la renverse, la taille s'allongeait, la poitrine se prononçait, le cou s'avançait légèrement en dévoilant un port de tête anobli. Le regard de la vamp s'allumait. Possédée. La femme simple et ordinaire s'effaçait au profit d'une déesse en voie de métamorphose. Perchée sur les hauteurs, prise d'un soudain vertige, la juchée percevrait alors le monde d'un point de vue très différent dont il serait dorénavant bien difficile d'en descendre.

Je m'amusais à observer ce cirque bien divertissant et je restais calmement assise au milieu de cette frénésie collective comme dans l'attente d'un évènement grandiose. Tous ces pieds chaussés de jolies chaussures multicolores envahissaient maintenant le plancher de la boutique et laissaient présager un spectacle magnifique !
Tel un ballet bien réglé, les demoiselles tendaient et présentaient leurs jambes afin d'exposer aux yeux de tous ce qui les rendait si heureuses. Titubant légèrement, en équilibre précaire, les unes après les autres admiraient la paire nouvellement chaussée.

Malheureusement, aucune de ces femmes, aussi élégantes fussent-elles naturellement, ne put combler les attentes des spectateurs tant elles étaient maladroites, hissées sur leurs talons hauts. Chacune de ces glorieuses, de ces illustres, de ces héroïques créatures commit l'erreur fatale d'avancer d'un pas maladroit.
Constater cet échec si notoire fut à la fois décevant et inspirant. Je cherchais alors à comprendre pourquoi ces femmes montraient autant de difficultés à marcher chaussées de talons hauts. Était-ce la faute des chaussures ou de celles qui les portaient ?

Afin de satisfaire ma curiosité, je décidai de me joindre à la danse. J'enfilai donc une paire de *stilettos*[1] d'une hauteur à m'en donner le vertige. Les rubans de satin solidement croisés sur mes chevilles, je pris une grande respiration, me levai et entamai une marche lente et rythmée dans l'enceinte de la boutique, prenant soin de vriller à une ou deux reprises avec une certaine nonchalance. Au bout de quelques longueurs, je remarquai tout autour de moi un silence suspect, alors que deux hommes du personnel, de toute évidence intrigués, m'abordèrent en me demandant poliment si j'étais mannequin.

1.   *Mot anglais pour talons aiguilles*

Vu ma petite taille, la chose était fort improbable ! Peut-être cherchaient-ils à comprendre qui était l'inconnue qui avait osé ainsi se percher sur ces échasses réservées aux professionnelles. Je n'avais donc ni la taille requise pour exercer le métier de mannequin, ni l'âge pour justifier mon culot, mais ma démarche indiquait toutefois que je n'étais pas non plus une débutante en quête de sa première paire de chaussures à talons hauts.

Je les rassurai donc en leur disant spontanément que j'étais enseignante dans l'art de porter les talons hauts !

Ah ? ! ! . . . À peine le message entendu, un sourire se dessina dans leurs yeux. Puis leur regard changea et je pus lire aisément sur leur visage leur étonnement.

« *Mais qu'est-ce donc ? Que faites-vous exactement ?* »

Je retournai sur le gros pouf crème en cuir pour dénouer les attaches de ces merveilleuses chaussures italiennes à motifs floraux. Pressentant le prix exorbitant de ces bijoux, je les remballai dans leur boite. Le cœur en peine, je les abandonnai aux mains de la vendeuse tout aussi peinée que moi de perdre une belle vente.

« *Quel type de clientes achètent ce genre de chaussures extravagantes ?* » lui demandai-je soudainement prise de curiosité.

« *À ce prix, c'est surtout des femmes comme vous* », me répondit-elle. Je compris que sa délicatesse l'empêchait de m'avouer que la clientèle friande de ces excentricités avait les moyens qui accompagnent leur âge.

« *Et elles savent bien les porter, ces talons vertigineux ?* »

« *Non, à part quelques exceptions, elles arrivent difficilement à marcher. Elles les portent surtout chez elles, dans l'intimité.* »

Hum. . . belle paire de pantoufles, pensai-je.

Je quittai la boutique au bras de mon mari, requinquée comme je ne l'avais pas été depuis bien longtemps. Ma tête bouillonnait d'idées se chahutant dans mon cerveau à m'en étourdir.

C'est ainsi que jaillit l'idée d'enseigner aux femmes l'art de porter les talons hauts.

Je souhaite de tout cœur que ce livre vous permette de conquérir les hautes sphères des talons que vous porterez dorénavant avec confiance et élégance !

l'escarpin de fantaisie

LA FEMME
ET LES
TALONS HAUTS

I

« Être porté par ses chaussures, trouver en elles des ailes, porter des rêves à ses pieds, c'est commencer à donner une réalité à ses rêves. »

ROGER VIVIER

1 Accessoire de fascination

C'est bien connu, les chaussures sont un accessoire de mode que privilégient les femmes du monde entier. À un point tel qu'ils transcendent le statut d'accessoire pour devenir un élément essentiel de leur garde-robe, que dis-je, de leur vie ! À choisir, une femme partant en voyage préférera apporter une seule petite robe noire et trente paires de chaussures plutôt que trente robes différentes et une seule paire de talons hauts. Reconnaissons d'emblée que la chaussure, et particulièrement celle à talons hauts, exerce une véritable fascination auprès des femmes et que cet objet semble doté d'un pouvoir mystérieux. Mais de quel pouvoir s'agit-il réellement ?

Rien ne sert de cacher l'évidence même. Inutile de camoufler l'intérêt certain et particulier que nous avons toutes pour les chaussures en prétextant qu'elles ne représentent qu'un simple artifice d'embellissement. Les chaussures vont bien au-delà des considérations pratiques ou esthétiques. Si tel était le cas, nous les chausserions simplement pour parfaire notre tenue vestimentaire ou nous nous contenterions d'un simple revêtement pour couvrir et protéger nos pieds selon le contexte ou la saison. Nous ne serions pas aussi obsédées par la beauté de l'objet lui-même. Il serait donc erroné de croire que la chaussure est uniquement utilisée dans le but de servir et de satisfaire de simples impératifs fonctionnels ou esthétiques.

En effet, véritable pièce d'anthropologie, la chaussure représente pour la femme un formidable outil de communication et un moyen très personnel de transmettre ses intentions. Elle lui permet d'afficher à la fois son statut social, ses traits de personnalité et d'exprimer de manière évidente ses humeurs, ses états d'âme, ses émotions, voire même ses désirs parfois très intimes. Elle va jusqu'à dévoiler l'âge de la porteuse et représente sans aucun doute un indicateur puissant de sa sexualité. Sous le couvert d'un jeu fantaisiste où l'objet devient l'accessoire d'une mise en scène étudiée, la rêveuse s'amuse à vêtir et dévêtir ses pieds. Le choix de la chaussure n'est donc pas innocent et, de toute évidence, un flip-flop de plage n'a ni la même connotation, ni la même portée, ni la même charge émotive qu'un escarpin en cuir verni rouge. Ainsi, le style, la forme, la matière, la couleur, les ornements et certainement la hauteur du talon se conjuguent en éléments extrêmement révélateurs et contribuent à annoncer le véritable sens du discours de la juchée.

OH ! CES TALONS

Selon William Rossi [2], si les chaussures prises dans leur ensemble se classent en quatre catégories distinctes, à savoir les chaussures sexy, les sans sexe, les neutres ou les bisexuelles, les talons hauts, eux, appartiennent sans conteste à la catégorie des chaussures « sexy ». Sans même que nous puissions tout à fait comprendre ou appréhender la complexité des profondes transformations psychiques et émotionnelles qu'elles engendrent, les chaussures à talons hauts nous imposent leurs valeurs et caractéristiques érotiques. De ce fait, nul ne peut nier à quel point elles nourrissent à la fois l'imaginaire des femmes qui les portent et celui des hommes qui les admirent.

Vous êtes-vous déjà demandé pourquoi nous entretenons un rapport aussi passionnel avec la chaussure ?

TALONS ET SÉDUCTION

Si les talons hauts gratifient les femmes d'une audace et d'une hardiesse pouvant être décrites comme électrisantes, certains attribuent ces qualités à l'association inconsciente qui en est faite avec le symbole du phallus, qui conférerait aux femmes ainsi surélevées un sentiment de pouvoir dominateur quasi masculin. D'autres avanceront que c'est leur caractère exclusif qui leur donne cette fameuse assurance, ou encore le fait de pouvoir tout simplement regarder les hommes directement dans les yeux.

Il n'en demeure pas moins vrai qu'au-delà du sentiment de pouvoir qu'ils procurent à celles qui les portent, les talons hauts possèdent cette faculté d'éveiller le désir sexuel. Ils émoustillent, ils aguichent, ils allument. La puissance d'évocation érotique est l'un des éléments marquants nous incitant à vouloir les posséder. Soyons honnêtes, mesdames, du haut de nos talons nous nous délectons parfois à entrer dans le jeu de la séduction. Et c'est très bien ainsi.

2.   *William Rossi. Érotisme du pied et de la chaussure,*
     Éditions Payot & Rivage pour l'édition de Poche, Paris, 2003

Certaines féministes dénoncent les talons hauts, affirmant qu'ils nous placent dans une situation de soumission en nous réduisant à l'état de simples objets de désir et de plaisir pour le compte de ces messieurs! Elles en ont fait leur cheval de bataille dans les années cinquante alors que les publicistes présentaient la simple ménagère dans le contexte d'une femme fatale chaussée d'escarpins attendant fébrilement le retour de son cher époux. Il semblerait que les féministes aient omis de constater la puissance extraordinaire des talons hauts, à la fois arme redoutable et passeport universel pour celles qui savent en tirer profit.

Cette fragilité ou cette vulnérabilité apparente, que nous dégageons et qui nous habite lorsque nous titubons du haut de nos échasses, dissimule en fait, de façon contradictoire, une force que nous devons apprendre à maitriser. Car il serait malvenu de chercher à parader en talons hauts sans en avoir maitrisé l'éventail des techniques ou encore sans en avoir compris la portée symbolique.

Rien n'est plus affligeant que de voir une femme, soudainement ivre du pouvoir alliciant qui lui est conféré, tenter désespérément de marcher en talons hauts alors qu'elle aurait vraisemblablement mérité qu'on le lui enseigne. L'image alors projetée ressemble à celle d'une marionnette disloquée, frôlant le ridicule et parfois même le vulgaire. Il est indispensable de posséder et de maitriser le port de vos talons afin d'affirmer sans équivoque que vous êtes bien cette femme assurée, confiante et irrésistible que vous imaginez être. Il faut cesser de croire que le seul fait d'enfiler des talons hauts fera de vous une déesse, désirable de surcroit.

Combien d'hommes m'ont avoué discrètement, comme s'ils cachaient une vérité abominable, qu'ils ressentaient un réel malaise lorsque témoins d'une mazette en talons hauts. Certains m'ont même dit avoir eu pitié de ces femmes godiches qui, de toute évidence, ne réussissaient pas à porter leurs talons avec grâce.

« Pourquoi garder le silence ? leur demandais-je.
Pourquoi ne pas le dire à ces femmes ? »

« Impossible ! » me répondaient-ils.

Il leur était impossible d'avouer à leur copine ou à leur épouse que la démarche ingrate qu'elles empruntaient réduisait à néant l'effet sublime attendu. Était-ce un sentiment de profond embarras qui les retenait ainsi ou nourrissaient-ils secrètement l'espoir d'apercevoir, malgré tout, l'ombre d'une cuisse ?

Dans ces conditions, les talons hauts seraient-ils destinés aux plus audacieuses, aux plus téméraires ? Seraient-ils réservés aux seules expertes ? *Madame Tout-le-Monde* aurait-elle même le droit de rêver les enfiler ?

SORTEZ CES TALONS DU PLACARD

Il n'est donc pas surprenant de constater le nombre affolant de femmes qui achètent des talons hauts sans jamais oser les porter en public. Les coquines d'un soir de pleine lune les enfileront peut-être pour pimenter leur escapade en amoureux, mais beaucoup ne les sortiront jamais du placard et se contenteront d'admirer ces bijoux sur leurs tablettes, comme une pièce de musée. Pourquoi, diable, acheter ces chaussures qui ont vidé votre portefeuille si elles doivent rester un simple objet de contemplation ?

L'impression d'être incompétente, la crainte du ridicule, le manque d'assurance ou simplement l'impossibilité de se saisir de cet objet et le porter avec l'audace qu'il exige inhibent la majorité des femmes. Alors que, pour beaucoup d'autres, la certitude d'avoir à s'infliger de la douleur leur enlève tout désir de se chausser. Pas étonnant d'apercevoir ces petites beautés sagement blotties dans du papier de soie et confinées à la chambre à coucher.

Mesdames, quel dommage ! Vous qui êtes si éperdument folles de vos chaussures, vous ne pouvez abdiquer. Ainsi, en suivant mes conseils, je vous assure que vous gagnerez suffisamment confiance en vous-mêmes pour gambader avec chic et élégance du haut de vos extravagances ! L'assurance et l'adresse doivent nécessairement accompagner chacun de vos pas. Le contraire donnerait raison aux détracteurs et anéantirait votre entreprise.

On ne rigole plus ici… Le pire de vos cauchemars ne vous présenterait pas sous un aspect aussi caricatural que disgracieux. Le port de vos talons hauts doit vous permettre d'exprimer votre féminité comme vous souhaitez qu'elle soit perçue. Le message que vous désirez transmettre doit être reçu clairement, sans équivoque et sans interprétation affadissante. Vous devez contrôler l'image que vous projetez et le faire avec panache.

Enfiler des talons hauts, c'est un peu comme glisser un collier à son cou ou accrocher de merveilleuses boucles à ses oreilles. Ils servent à mettre en valeur les vêtements que vous avez méticuleusement choisis, à parfaire votre tenue et à donner le ton à votre allure. Bien inutile d'enfiler une paire de chaussures à faire rêver si elles ne servent pas à rehausser votre charme ou à traduire exactement vos intentions, que ce soit dans un cadre professionnel, lors d'une sortie entre amis ou même dans votre intimité.

PORTER DES TALONS, ÇA S'APPREND

Entre la première journée de formation où les participantes débutent mes ateliers et la dernière où elles repartent chez elles, je suis toujours surprise de constater à quel point quelques heures suffisent pour transformer l'attitude d'une personne et la perception qu'elle peut avoir d'elle-même.

En vérité, je vous le dis, porter des talons hauts n'est en aucun cas le privilège d'une élite, et aucun obstacle ne devrait vous priver de cette joie. Malgré vos craintes et vos appréhensions, je peux vous assurer qu'il est possible de dompter ces chaussures et de révéler au monde entier la femme sublime qui bouillonne en vous. Nul besoin de ressembler aux modèles des magazines ou posséder des aptitudes particulières. Que vous soyez une jeune femme ou une dame d'âge respectable, que vous portiez du quatre ou du seize ans, cela n'a aucune importance (sauf avis contraire de votre médecin).

Il vous faut par contre de la bonne volonté. La volonté certaine de vouloir vous dévoiler et vous affirmer.

la mule hollywoodienne

2 LE COURAGE d'être soi-même en talons hauts

« **L**'Art de porter les talons hauts » va bien au-delà du simple apprentissage du port de chaussures. C'est un art d'être : un art d'être soi.

- C'est décider de s'aimer en refusant le conformisme, en refusant de se laisser mener par nos doutes ou par l'opinion des autres ;
- C'est accepter d'être aimée ou désirée, mais parfois aussi de ne pas être aimée ou désirée ;
- C'est apprendre à apprivoiser son corps, à le respecter et à le bonifier aussi ;
- C'est vouloir prendre contact avec son être, son soi, et vivre en harmonie avec ses valeurs, ses besoins, ses envies, ses désirs et ses rêves ;
- S'accepter, c'est aussi accepter son histoire ;
- C'est se permettre d'être différente, d'être unique et de s'exprimer librement ;
- C'est apprendre à se faire confiance et à croire en son plein potentiel féminin.

Les talons hauts constituent un excellent prétexte et un formidable outil pour se réconcilier avec soi, car ils éveillent en nous une parcelle intime de notre féminité.

Si vous avez ce livre entre les mains, c'est que vous avez déjà pris la décision de vous occuper de vous-même et d'attribuer à la femme que vous êtes une valeur certaine. Vous êtes courageuse et volontaire d'oser ainsi faire un travail sur vous-même. Bravo !

Dans la vie de tous les jours nous sommes continuellement confrontées à nos peurs, à nos appréhensions, à notre timidité et surtout à nos insécurités. Nous devons constamment nous pousser et trouver la motivation nécessaire afin de ne pas stagner dans notre évolution. Nous devons garder la tête haute et le regard tourné vers l'avant afin d'avancer et de grandir. Nous sommes femmes, amoureuses, mères et professionnelles. Les défis sont grands et les attentes encore plus grandes. Vous devez vous autoriser à explorer les différentes facettes de votre féminité, tout en cherchant le parfait équilibre entre ce que vous êtes et l'image que vous souhaitez présenter.

Vous éloigner des modèles qui ne reflètent en rien vos valeurs ou votre discours et vous rapprocher réellement de la femme que vous êtes doit motiver votre entreprise et captiver toute votre attention.

L'INFLUENCE DE LA MODE

Les chaussures sont très représentatives du décalage qui peut s'installer entre l'être et le paraitre. Le message projeté par les chaussures est suffisamment fort qu'il est impératif d'en comprendre la teneur. Les tendances de la mode poussent les femmes à s'identifier à ce qu'on leur propose, pour ne pas dire à ce qu'on leur impose, et les conduisent à acheter des chaussures qui ne correspondent en rien à leur personnalité ou à ce qu'elles désirent dévoiler de leur personnalité.

Il est futile de vouloir suivre des modes parfois outrageuses qui semblent très éloignées de la réalité féminine de la majorité. Il est insensé de vouloir faire croire que des talons de douze centimètres peuvent être portés en tout temps et par toutes les femmes ! Cependant, dans les faits, combien de femmes dociles et obéissantes se sentent obligées de suivre les dictats de ces publicistes et se perdent ainsi dans une représentation d'elles-mêmes qui leur échappe complètement. Elles succombent et s'efforcent tant bien que mal de copier l'image d'une femme étrangère, inconnue, sans aucune ressemblance véritable avec ce qu'elles sont. Elles imitent sans comprendre. Dans ces conditions, il leur est difficile de s'approprier la chaussure. Elles se retrouvent ainsi rapidement dépassées par l'objet lui-même.

> *L'éternelle rengaine résonne une fois de plus dans notre tête :*
> *« Suis-je en mesure de maitriser ce que cette chaussure provoque chez moi et ce que cela sous-entend ? »*

> *« Ces chaussures annoncent-elles ce que je suis ? »*

Ainsi, l'objet peut être apprivoisé ou, tout au contraire, l'objet peut nous régenter. Un peu à l'image d'un étalon racé et fougueux qu'on cherche à dresser, les chaussures doivent être domptées. En cas d'échec, il ne faut pas hésiter à les abandonner à leur sort.

Votre mission doit être de trouver l'adéquation parfaite entre le style de chaussures que vous portez et l'intention recherchée.

> « Suis-je en accord avec moi-même ? Est-ce bien le message que je souhaite émettre ? »

S'il existe bien quelques règles à suivre en fonction des circonstances et des évènements, il faut comprendre que la règle qui prévaut est d'éviter tout quiproquo.

Pour ma part, je considère que ce n'est pas tant la chaussure ni même la hauteur de son talon qui brouillent et dénaturent le sens du message, mais bel et bien la manière dont elle est portée. Je connais bon nombre de femmes qui osent chausser leurs talons vertigineux dans un contexte professionnel traditionnel et conservateur sans que cela leur porte préjudice. En revanche, d'autres ne sauraient franchir le seuil de leur porte sans qu'on leur attribue une étiquette désobligeante.

C'est bel et bien votre attitude, votre allure et votre démarche qui feront la différence. C'est en apprenant le port des talons, certes, mais aussi et surtout en maitrisant votre langage corporel que vous resterez le plus fidèle à vous-même.

Commençons par le début !

3 LA GESTUELLE

LE CORPS EN MOUVEMENT ET L'EXPRESSION DE SOI

C et extraordinaire engin qu'est le corps est à la fois le gardien de notre âme et le véhicule de notre personnalité. Il est notre carte de visite. Reflet et expression de ce que nous sommes en tant qu'individus. Parce que chaque corps est différent de l'autre, nous devons accepter qu'il soit unique.

L'APPRENTISSAGE DE NOTRE CORPS DURANT L'ENFANCE

Enfants, nous étions fascinées par notre corps qui nous permettait de toucher, de prendre, de bouger. Nous apprenions à marcher, à courir, à nager, à grimper, à sauter. Nous étions à l'affut des sensations qu'il éveillait en nous et des plaisirs qu'il nous faisait découvrir. Nous étions constamment émerveillées de ce qu'il nous permettait d'accomplir. Combien de fois avons-nous crié : *« Regarde, maman, ce que je sais faire ! »* Nous poussions nos expérimentations pour tester nos limites. Nous cherchions à maitriser le mouvement, à parfaire la gestuelle, à contrôler la motion et les impulsions. Nous voulions comprendre et contrôler tous les gestes qui nous permettaient d'être libres de réaliser nos ambitions.

Si vous avez été choyée par des parents conscients de l'importance du développement de la motricité, toute petite, vous avez certainement suivi des cours de ballet, de gymnastique, de natation ou fait partie d'une équipe de soccer. Vous avez très tôt stimulé votre cerveau à comprendre le fonctionnement du mouvement et accroitre ainsi votre mobilité, votre souplesse, votre force, votre équilibre et votre agilité. Vous preniez plaisir à bouger et chaque obstacle ou difficulté était une source de recherche, d'apprentissage puis de dépassement de soi. Pour accomplir certaines tâches, certains mouvements, vous écartiez volontairement les barrières et ignoriez les restrictions afin d'obtenir la pleine liberté de vous animer. Apprendre à vous dépasser, à aller au-delà de vos propres frontières et découvrir ainsi votre plein potentiel. Dans cette quête d'une autonomie nouvelle vous gagniez en émancipation et vous vous construisiez en tant qu'individu.

LE CORPS QUE NOUS NOUS SOMMES BÂTI

Tel un bloc de terre glaise soumis aux mains de l'artiste, vous avez formé petit à petit les bases, les piliers, la structure de votre corps, naturellement. Vous vous êtes bâtie. Vous vous êtes érigée. Vous avez façonné une silhouette, votre silhouette, celle que l'on reconnait parmi toutes les autres. Celle que l'on distingue et qui porte votre sceau, votre marque, celle qui vous définit. Votre démarche vous annonce, le son particulier de votre pas vous précède, votre déhanchement vous raconte et votre port de tête vous différencie de toutes les autres.

Puis un jour, nous cessons de nous intéresser à l'extraordinaire potentiel de ce corps. Nous le tenons pour acquis, et venons même parfois à le mépriser tant nous nous en soucions peu. Nous croyons avoir développé un répertoire suffisant de gestes auxquels nous ne pensons plus.

> «*Pendant toute notre vie, nous répétons ces quelques mouvements sans jamais les remettre en question, sans comprendre qu'ils ne représentent qu'un très petit échantillon de nos possibilités* [3]. »

Nous limitons ainsi volontairement notre pouvoir de communiquer. Nous dévalorisons soudainement l'utilisation de notre propre langage corporel pour nous conformer à l'idée qu'on aimerait se faire de soi. Nous réduisons l'étendue de notre répertoire et nous privilégions plutôt l'image quelque peu figée d'une femme idéalisée, censée nous représenter. Si cette femme ne correspond pas à nos exigences, nous aurons tendance à la camoufler, à la dissimiler, à la taire ou, pire, à la transformer !

De l'enfant si attentif à sa merveilleuse machine, nous devenons une adulte déconnectée de notre corps, attachant soudainement une importance démesurée à son esthétisme, au détriment de son expression. Sujet de critiques, de comparaisons ou d'appréciations, nous amputons notre registre naturel en contraignant notre corps au mutisme. En le condamnant à l'inertie, nous brimons notre liberté et censurons notre vocabulaire.

Une partie de nous-mêmes s'éteint. Comme si un étau nous serrait davantage en nous étouffant un peu plus chaque jour. La mobilité s'amenuise. Muscles noués, tensions douloureuses et raideurs des articulations font leur apparition et notre corps semble soudainement étranger. Il nous échappe, il nous fait défaut, il ne répond plus, il nous abandonne. Nous en perdons la jouissance. Nous altérons ainsi notre pouvoir de sentir, de percevoir et de développer les sensations. La rigidité, l'immobilité et l'inactivité accélèrent notre dépréciation. Affaiblies, rognées, prisonnières de notre propre enveloppe, notre vitalité s'amenuise, s'efface et nous sommes surprises de voir la vieillesse se profiler soudainement.

Je connais des femmes affichant tous les symptômes affligeants de l'usure alors qu'elles n'ont pas encore la trentaine.

---

[3]. *Thérèse Bertherat, Carol Bernstein. Le corps a ses raisons, Seuil, 1976, p. 65*

Si elles sont jeunes dans leur tête et dans leur cœur, leur corps ankylosé souffre, engourdi comme une vieille baderne. Quelle tristesse !

Dans mes ateliers, je constate jour après jour les dommages sournois de cette réalité. Des femmes figées, raidies par les tensions et le manque de souplesse accusent des douleurs ou des inhibitions qui freinent leurs mouvements. Elles se sentent prises dans leur enveloppe et témoignent de leur difficulté à bouger librement. Le manque de confiance, les frustrations, les inhibitions, les douleurs émotives, les blessures psychologiques, les appréhensions de la sexualité ont forgé des blocages impressionnants, réduisant tragiquement leur agilité, leur souplesse et, par voie de conséquence, leur mobilité.

À la fois vulnérables et volontaires, elles désirent se réapproprier une partie d'elles-mêmes en apprenant à chausser des talons hauts. Persuadées que si elles arrivent à bien marcher, juchées sur dix centimètres, elles arriveront ainsi à dévoiler et à exprimer leur féminité. Je constate avec effroi que le problème ne provient pas de leur incapacité à porter leurs chaussures, mais de l'incompréhension et du peu de maitrise qu'elles ont de leur corps. Il y a fracture entre l'être et le corps, le lien est hachuré et la communication rompue.

> *« Tout trouble dans la capacité de ressentir pleinement son propre corps attaque la confiance en soi aussi bien que l'unité du sentiment corporel* [4]*. »*

Même les femmes sportives ou actives accusent des tensions formidables alors qu'elles ont fait de leur corps de véritables forteresses et où le bassin est particulièrement engourdi.

Est-ce un hasard ?

Lorsque je demande à mes participantes de faire pivoter leur bassin ou d'effectuer des mouvements simples mais précis au niveau des hanches, du sacrum ou de la région lombosacrée, elles arrivent difficilement à repérer l'endroit où il faut engager le mouvement, comme si elles n'avaient aucun contrôle sur cette partie de leur corps ou que le lien entre le cerveau et le bassin n'existait pas. Pourtant, le bassin représente une partie de notre anatomie qui est foncièrement féminine. La volupté de ses courbes nous distingue des hommes et il est la source même de la vie. Nous portons des enfants en nous, dans cet âtre féminin où nous ressentons viscéralement des émotions.

Combien de fois avez-vous senti, dans vos tripes, une force, un message, une impression? *« J'ai des papillons dans le ventre »*, *« J'ai une boule dans le ventre »*, *« J'ai mal au ventre. »* Notre ventre, notre bassin, notre sexe nous parlent et nous refusons de les laisser s'exprimer. Nous les taisons. Nous les bloquons inconsciemment. Craindrions-nous leur puissance? Sans aucun doute.

Notre éducation, les tabous que nous nous sommes imposés, nos craintes ou nos mauvaises expériences ont fermé petit à petit cette région très sensible. Dorénavant inaccessible, le bassin engourdi, endormi, ne répond plus.

Et le malaise se propage comme une tache d'huile sur tout le corps. Du bassin immobilisé, les tensions s'étendent aux genoux, aux lombaires et s'installent définitivement dans les épaules, les bras et les mains. Les trapèzes durcissent, le cou se raidit, les mâchoires se bloquent et tout cela cause des migraines. L'ensemble de la colonne vertébrale se soude, cristallisant notre histoire. Notre corps est ainsi une photographie, la photographie de notre vie. Il s'adapte entièrement à ce que nous lui infligeons. Il réagit à ce que nous ressentons, il intègre toutes les données de notre vécu et il les fixe dans sa propre mémoire.

Il est surprenant de constater que la plupart des femmes acceptent passivement la paralysie de leur corps comme une fatalité. Accusant les affres du temps, une blessure ou un traumatisme, elles consentent à ne plus jouir de leur corps et se résignent à en être dépossédées. Abandonné ainsi, le corps, de nature paresseuse, se laisse aller à la morosité de l'inactivité et se déforme. La musculature fond, la souplesse disparait, les cellules adipeuses se multiplient et nous assistons à une atonie destructrice. Nous nous sentons alors diminuées, dépourvues d'énergie, moins attirantes, donc foncièrement moins confiantes. Les complexes de toutes sortes font ainsi leur apparition.

Afin de repousser le pronostic, nous tentons, tant bien que mal, de camoufler nos incapacités en faisant appel à des artifices extérieurs. Au lieu d'approfondir la connaissance de notre corps, de le percevoir de l'intérieur et d'essayer de répondre à ses manques et combler ses besoins, nous nous acharnons à accepter et à déguiser la réalité. Nous camouflons alors nos complexes, nos insuffisances et nos défauts.

Nous avons alors recours à des subterfuges plaisants et investissons massivement pour offrir à l'autre une représentation de nous-mêmes esthétiquement convenable.

---

4. W. Reich. *La fonction de l'orgasme*, Paris, L'Arche 1970, p. 277

Vêtements, coiffure et maquillage sont des astuces utilisées pour faire oublier que nous avons perdu la maitrise de notre corps et, par ricochet, l'assurance d'être au meilleur de nous-mêmes.

Alors nous attaquons le problème d'une étrange façon. Plutôt que de chercher la manière de nous réapproprier ce corps et d'étudier les multiples options qu'il nous offre dans l'expression de notre être, nous réduisons notre approche aux artifices et à l'art du paraitre.

Dans cette recherche du paraitre, nous voulons satisfaire, d'une part, notre propre besoin narcissique et, d'autre part, nous nourrissons l'espoir de plaire aux hommes autant qu'aux femmes qui sauront nous contempler.

À partir du moment où l'image extérieure d'une femme reflète harmonieusement ce qu'elle est à l'intérieur, je consens à toutes les extravagances. Un maquillage exagéré, une chevelure luxuriante ou des talons vertigineux peuvent simplement me faire sourire. La mode peut être source d'amusement et nous aider à afficher nos goûts en matière de couleurs, de textures, de coupes et de styles.

Toutefois, la mode, pendant extérieur de la beauté, ne peut représenter à elle seule le véritable reflet de ce que vous êtes, vous! Au lieu de servir la femme et de rehausser son apparence, la femme s'efface parfois totalement au profit d'une pure fabrication qui ne ressemble en rien à ce qu'elle est. Au nom de la mode, au nom des tendances et selon le mot d'ordre des créateurs, la femme accepte à peu près n'importe quoi, jusqu'à s'ignorer, se perdre et même jusqu'à se détruire.

Il n'y a pas de changements extérieurs durables sans transformation radicale intérieure

> « Le problème est que, de la naissance à la mort, le premier jugement porté sur une femme concerne sa beauté. Depuis toujours, sa valeur passe à travers le regard des autres et sa vie est conditionnée par les miroirs [5]. »

Le besoin de plaire demeure une de nos plus fortes préoccupations. Il n'y a qu'à consulter les magazines féminins pour nous apercevoir à quel point ce désir, devenu obsession, amène des débordements que nous connaissons bien. La recherche de cet esthétisme parfait ne se fait pas sans fracas. Soyons réalistes : combien de femmes peuvent se vanter de correspondre aux modèles en vogue ? C'est la constante quête du Graal ! La mission est d'autant plus pernicieuse qu'elle attribue le succès à celle qui s'y soumet, à sa capacité de suivre les mouvances créatrices et d'adopter sans rechigner ce qu'on lui propose.

Il s'agit également de préserver un état de jeunesse éternel en infligeant à la femme l'inéluctable perspective d'être confrontée tôt ou tard à un échec destructeur. Son incapacité à suspendre les effets du temps ne peut que démolir son estime de soi et ébranler sérieusement sa confiance. Dès lors que nous ne répondons plus aux critères, tel un produit déclassé, notre cote baisse, notre « valeur marchande » diminue : nous sommes mises hors-marché, dépouillées de notre pouvoir de séduction et vidées de notre essence sexuelle.

L'ÉTERNELLE QUÊTE DE LA BEAUTÉ

Plus que jamais, la femme s'impose des souffrances souvent démesurées dans l'espoir de rejoindre le rang privilégié des reines adulées de la beauté. Si nous avons abandonné les recettes de nos grand-mères ou n'avons jamais consenti aux tortures invraisemblables déployées dans certaines cultures, nous avons par contre adopté des pratiques tout aussi tyranniques, comme le *bodybuilding*, les régimes d'amaigrissement et la très spectaculaire chirurgie esthétique.

Je suis certaine que beaucoup de femmes acceptent de se faire charcuter, boursouffler la poitrine ou dégonfler le ventre pour se réconcilier avec elles-mêmes. Mais les femmes malheureuses, complexées et incapables de traverser leur existence sans changer la forme de leur nez ou la taille de leurs seins sont-elles vraiment aussi nombreuses ?
On nous encourage à un point tel à changer d'identité afin d'acquérir un soi conforme au groupe de référence dominant que nous sommes en droit de nous demander si nous ne ressemblerons pas un jour à une civilisation clonée.

Cette campagne de racolage perpétue l'idée que nous ne sommes jamais assez bien, jamais assez jolies, jamais assez minces ou assez sexys. À force d'être bombardées d'images de femmes sans défauts, nous venons à douter de nous-mêmes. Nous craignons de vieillir ou d'être

5.   *W. Pasini, M. T. Baldini. Les 7 Avantages de la beauté, Odile Jacob, Paris, 2006, p. 88*

différentes, comme si les ridules non traitées à la botuline ou nos vêtements de taille dix nous menaient directement aux portes de l'exclusion.

Je ne souhaite en aucun cas condamner celles qui décident de prendre soin d'elles et de narguer les effets du temps, bien au contraire. Prendre soin de soi et de son apparence est un investissement qui contribue à la construction de son être féminin.

Que les femmes cherchent à améliorer leur apparence, lorsqu'elles le font pour elles-mêmes, est honorable. S'embarquer dans la spirale infernale et despotique des métamorphoses dans le but de gommer sa propre identité et de se rapprocher du modèle féminin idéal proposé ne l'est plus. La richesse et la diversité de l'individu sont à ce point dévalorisées que nous passons le plus clair de notre temps à vouloir ressembler à une autre, qui, elle-même, n'est qu'une copie d'un même modèle. Au lieu d'aller à la découverte de celle que nous sommes, de l'apprivoiser, d'apprendre à l'aimer et de la bonifier, nous la critiquons, nous la condamnons et nous la rejetons. Comme si être soi n'était pas suffisant. Comme si être soi ne permettait pas à la femme de se réaliser.

4 Être soi

Je crois fondamentalement à l'unicité de l'individu, tout autant à la richesse de ses particularités que de ses différences. Je crois à l'extraordinaire potentiel que nous avons d'exprimer ce que nous sommes à travers la gestuelle et les mouvements de notre corps. À l'intérieur de chacune d'entre nous existe un langage qui nous est propre. Il faut trouver la manière d'incorporer à notre patrimoine corporel non pas les gestes singés, mais le ton et la couleur de notre langage.

Il faut donc vous recentrer sur vous-même et vous réapprivoiser. Déprogrammer les mauvaises habitudes, soulager les tensions qui bloquent votre respiration inhibent les mouvements naturels de votre corps et entravent finalement l'expression de votre être.

À partir du moment où vous prendrez pleinement conscience du potentiel de votre corps, vous saurez vous affirmer à travers une démarche et une gestuelle qui seront le véritable reflet de votre personnalité. Vous communiquerez vos intentions avec authenticité, sans artifices et sans avoir recours à des astuces savantes et calquées sur une image empruntée. Vous développerez votre propre langage, libre de toutes contraintes physiques, psychologiques et émotionnelles.

À la sortie de mes ateliers, je suis toujours surprise et enchantée de constater à quel point les femmes se sentent investies d'une assurance nouvelle qui imprime sur leur visage un sourire hardi et terriblement sexy. Dès lors, les talons hauts ne sont plus du tout un obstacle ou un objet qu'elles appréhendent mais, au contraire, ils deviennent un outil complémentaire qu'elles utilisent pour exprimer spontanément, ouvertement et librement à la fois leur féminité et leur sensualité.

LE LANGAGE DU CORPS

- En apprenant à comprendre et à aimer votre corps, vous pourrez accroitre et renforcer votre estime de soi ;
- En adoptant un maintien et une posture adéquats, vous incorporerez la fluidité et la légèreté dans vos mouvements qui, à leur tour, vous amèneront à déployer une gestuelle plus gracieuse et harmonieuse qui fera naitre l'élégance et renforcera votre confiance en soi.

Lorsque vous aurez la maitrise et que vous vous amuserez de cette démarche qui vous est propre, vous enfilerez vos talons hauts et vous profiterez pleinement du pouvoir qu'ils offrent à celles qui les portent avec assurance.

En développant vos aptitudes, vous vous dégagerez de l'emprise que les talons peuvent avoir sur vous. Vous vous sentirez conquérante !

Et si nous passions tout d'abord en boutique pour choisir vos chaussures ?

COMMENT ACHETER
SES CHAUSSURES

II

« On glisse des pantoufles, on enfile des baskets, on chausse des mocassins, mais avec des talons hauts, on s'habille. »

LINDA O'KEEFE

Je suis fascinée lorsque j'observe les femmes acheter leurs chaussures. Ces achats sont rarement planifiés, réfléchis ou raisonnables mais, bien au contraire, ils sont de véritables coups de cœur. La plupart des consommatrices magasinent comme si elles participaient à une chasse au trésor. Sans idée précise de ce qu'elles cherchent, elles feront la tournée des boutiques seules ou entre amies, prenant le temps nécessaire pour dénicher la perle rare. Une fois leur choix arrêté sur **la** paire qui les aura séduites, rien ni personne pourra les dissuader du contraire : que les chaussures soient réellement trop petites, trop chères, trop extravagantes ou de véritables engins de torture n'y changera rien. Elles désirent se sentir hypnotisées et conquises, ces *aficionados* [6]. Elles se laisseront prendre au jeu de vouloir les posséder et repartiront le sourire aux lèvres, comme une petite fille ayant dévalisé un magasin de bonbons. *« Et tant pis pour la facture »*, se disent-elles.

Si seulement les créateurs arrêtaient de nous soumettre à la tentation et cessaient de nous martyriser ! Avec un machiavélisme mal placé, ces derniers persistent à dessiner des chaussures qui nous émerveillent mais qui, de toute évidence, sont mal adaptées à la morphologie naturelle de nos pieds. Ils semblent peu se soucier de notre confort ou de notre bien-être.

La largeur des empeignes, toujours insuffisante avec leurs bouts pointus, comprime nos pieds. Que dire de la semelle… souvent défaillante dans ce genre de chaussures. Mince et lisse, en règle générale, elle rend les déplacements périlleux et n'offre aucun tampon entre le pied et les revêtements de sol tortionnaires comme le béton ou le marbre. La semelle épaisse et rigide, pour sa part, que l'on retrouve sur les modèles plateformes, limite et restreint le mouvement normal du pied lors de la marche. Et les talons déstabilisent de manière inquiétante notre posture. C'est à croire que nous entretenons une véritable relation sadomasochiste avec les chaussures.

Nous sommes ainsi réduites à devoir choisir entre la chaussure confortable et asexuée, et la chaussure sexy qui nous fait rêver. Nous raffolons et succombons sans grande surprise à ces accessoires parfois franchement farfelus qui nous catapultent directement vers le firmament.

En attendant de retrouver votre raison, vous allez devoir apprendre à résister aux pulsions excessives qui surgissent lorsque vous tombez amoureuse d'une paire de talons hauts qui, trop souvent, finit par vous désenchanter. Certainement plus difficile à dire qu'à faire, me direz-vous ! Et comme je vous comprends !

Mais mon objectif ici est de vous guider afin de vous propulser au sommet de votre potentiel féminin. Ce n'est certainement pas avec des chaussures à talons hauts (aussi magnifiques soient-elles) dans lesquelles vous ne pourrez pas marcher ou qui vous feront souffrir à vouloir vendre votre âme au diable que vous y arriverez.
Alors ressaisissez-vous, prenez une bonne respiration et allons magasiner ensemble !

1 CONNAITRE SES pieds

Reconnaitre et accepter son corps, ses formes et sa taille est indispensable pour effectuer de bons achats. Nous avons toutes une physionomie qui nous est propre et que nous devons savoir respecter. À moins de faire appel à un bottier ou à un créateur qui dessinera et fabriquera pour vous des chaussures sur mesure, il est fort probable que ayez de la difficulté à trouver la paire idéale dans les modèles courants offerts en magasin. La taille, la forme, la cambrure et la hauteur du talon doivent être méticuleusement examinés afin de vous assurer que votre pied ne souffrira pas inutilement. Ainsi, avant de vous précipiter sur la paire qui vous a ravie et qui vous implore de venir la chercher dans la vitrine de votre boutique préférée, sachez qu'il y a des règles à suivre afin de réaliser un achat dont vous allez vraiment profiter ! Laissez de côté la folie impulsive qui brouille trop souvent votre jugement et étudions le sujet.

PETITE LEÇON D'ANATOMIE

Les pieds sont une des parties du corps qui n'a cessé de fasciner les hommes et les femmes depuis 2500 ans. Leur symbolique sexuelle remonte jusqu'aux écrits de Confucius. Objets d'adoration, de désir ou de fétichisme,

---

6.   *Mot espagnol pour admiratrices*

les pieds ont tour à tour été comprimés et déformés dans la culture traditionnelle chinoise, habillés de vair ou bottés dans les contes de fées des cultures populaires et perchés sur des hauteurs intimidantes dans la culture cinématographie érotique.

Les pieds du fœtus se dessinent dans le ventre de la mère à partir du 34ᵉ jour et arrivent à leur forme finale après 44 jours de gestation. À la naissance, le bébé a déjà développé le réflexe de la marche automatique. Maintenu en position verticale, il avance naturellement un pied devant l'autre, simulant la marche. Par la suite, l'enfant se déplace en rampant à l'aide de ses mains, puis à quatre pattes entre l'âge de 7 mois et 1 an. Ce n'est qu'entre 9 et 16 mois que l'enfant est capable de marcher en se tenant debout sur ses deux pieds. Les pieds atteignent leur taille maximale vers l'adolescence et ne grandiront que très peu par la suite, sauf en cas de prise de poids plus ou moins importante.

> *« Les pieds accompliront au cours d'une vie un parcours moyen de 184,000 km* [7]. *»*

Cette partie de notre anatomie supporte l'ensemble de notre poids, nous permet de nous tenir debout en équilibre et, bien entendu, de nous mouvoir. Ils assurent un rôle d'équilibre, d'amortisseur et de propulseur.

STRUCTURE DU PIED

Le pied humain se compose de 26 os (25 % des os du squelette) divisés en trois parties : les phalanges, les métatarses et le tarse. Il est doté :

- de 33 articulations et de plus de 100 muscles, tendons et ligaments (les tendons sont des tissus fibreux qui relient les muscles aux os et les ligaments sont des tissus fibreux qui relient les os à d'autres os) ;
- d'un vaste réseau de vaisseaux sanguins ;
- des milliers de terminaisons nerveuses minuscules dotées d'aptitudes sensorielles et tactiles qui contribuent à maintenir le corps en équilibre ;
- de peau et de tissus graisseux ;
- de milliers de glandes sudoripares.

Ces composantes interagissent afin de permettre le soutien, l'équilibre et la mobilité du corps.

LES FORMES DU PIED

Les longueurs relatives des trois premiers orteils définissent trois types morphologiques :

- *le pied égyptien :* 63 % de la population. Il est le mieux adapté pour les chaussures en série. L'hallux est l'orteil le plus avancé. Les autres orteils se présentent en taille décroissante. La forme globale des orteils du pied égyptien est en biseau ;
- *le pied grec :* 31 % de la population. Le pied est en forme de triangle. On le nomme pied ancestral lorsque l'hallux est très écarté. Le deuxième orteil est le plus avancé ;
- *le pied romain :* 6 % de la population. Les trois premiers orteils sont de même grandeur, le quatrième et le cinquième régressent. La forme globale est le carré.

Choisissez toujours la forme de la semelle correspondante à la forme de votre pied. Ne choisissez pas des chaussures à bout ouvert et très pointu si vos trois derniers orteils dépassent de la semelle. Ce n'est ni joli ni confortable.

a LA VOUTE PLANTAIRE

Notre voute plantaire est formée de trois arches qui soutiennent nos pieds :

- *l'arche médiane :* la plus large, située sur l'intérieur du pied. C'est aussi la plus connue, car elle constitue le creux du pied ;
- *l'arche latérale :* parallèle à la médiane, située sur l'extérieur du pied ;
- *l'arche métatarsienne :* traversant l'avant du pied au niveau des orteils.

Ces trois arches doivent être correctement voutées pour permettre le rebond du pied et redistribuer adéquatement le poids de notre corps.

Selon le type de pied, la voute plantaire est plus ou moins marquée. Chez certaines personnes, elle est droite comme une tige, chez d'autres, elle est courbée comme un arc bandé.

7.   *Source : feetdocs.com*

a *la voute plantaire*

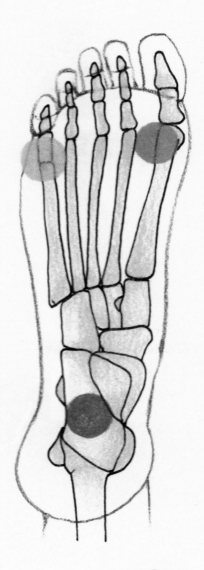

b *les points d'appui*

On remarque trois types de voute plantaire :

- une voûte droite n'est rien d'autre qu'un pont affaissé (pied plat). De l'intérieur du talon à l'avant des phalanges, le squelette forme une ligne droite ;
- une voûte très incurvée se caractérise par un creux important entre l'arrière et l'avant du pied. Souvent le dessus du pied ressort de manière très marquée ;
- une voute « normale », intermédiaire entre les deux dispositions précédentes.

Le pied supporte le poids du corps, amortit les pressions, permet de s'adapter aux surfaces qu'il rencontre et, avec les orteils, contribue à maintenir la position debout.

b LES POINTS D'APPUI

Le pied a trois points d'appui osseux qui forment un triangle :

- l'appui postérieur calcanéum, le talon ;
- l'appui antéro-externe, la tête du 5e métatarse ;
- l'appui antéro-interne, la tête du 1er métatarse.

La cheville sert de fondation. La pulpe des cinq orteils contribue à maintenir la position debout et à supporter le poids du corps, à amortir les pressions et permet aux pieds de s'adapter aux surfaces qu'ils rencontrent.

2 RECONNAîTRE SON pied

FAITES LE TEST « HUMIDE »

- Versez une fine couche d'eau dans un récipient peu profond ;
- Mouillez la plante de votre pied ;
- Posez votre pied mouillé sur un sac ou une feuille de papier épais ;

- Constatez les points d'appui de votre pied ;
- Repérez l'arche de votre voute plantaire.

Votre pied est plat lorsque l'empreinte mouillée dessine la totalité de votre pied, sans aucune courbe apparente entre les orteils et le talon. À l'inverse, un pied est très vouté si la courbe entre les orteils et le talon reste très étroite.

Faites le test « à sec »

À l'aide d'un crayon, dessinez le contour de votre pied posé à plat sur une feuille de papier.
Observez la forme de votre pied, particulièrement la forme de vos orteils. Dessinent-ils un éventail parfait ou ont-ils la forme d'un chapeau pointu ? Vos orteils sont-ils tous de la même longueur ou s'ordonnent-ils du plus gros au plus petit dans un arc de cercle ?

3 Chaussez ce pied

Si le pied est la partie du corps la moins sujette aux changements, il n'en demeure pas moins que sa taille et sa largeur peuvent fluctuer selon les circonstances suivantes :

- une prise ou une perte de poids soudaine ;
- **l'âge :** nous avons tendance à perdre de la masse osseuse avec le temps, ce qui contribue au rétrécissement du pied ;
- **la période de la journée :** nous enflons des pieds en fin d'après-midi. De la même façon, nos pieds enflent l'été en raison de la chaleur ;
- **la grossesse :** la rétention d'eau, particulièrement au dernier trimestre, peut moduler la forme du pied.

Afin de faciliter le passage du bébé dans le petit bassin, une hormone nommée relaxine est secrétée tout le long de la grossesse. La relaxine accentue l'élasticité des ligaments tout en induisant leur relâchement, entrainant par la même occasion l'affaissement de l'arche transverse et longitudinale du pied.

La largeur

Bien que l'industrie de la chaussure ait élaboré une table de onze largeurs différentes pour une même pointure, dans la pratique, les distributeurs ne veulent pas supporter le coût élevé du stockage d'un même modèle en plusieurs largeurs. Ils se bornent donc généralement à proposer à leur clientèle la «cinquième largeur» pour les femmes. Les marques de luxe sont les seules à offrir à leurs clientes les largeurs adéquates. Selon le Dr Simon Braun :

> «Cette 5e largeur uniformément proposée ne correspond pas à l'anatomie statistique de la population. Plus encore, l'un des plus répandus, au moins dans nos consultations, est le pied combiné à talon étroit et avant pied large, variété commune de pied creux. L'alternative est cruelle : soit chausser l'avant pied, mais déboîter du talon... soit chausser le talon mais écraser l'avant pied. Cette crucifixion conduit fréquemment à l'achat d'une pointure supérieure non seulement disgracieuse mais nocive, car dans de telles péniches, le pied est à chaque pas projeté contre la tige et ces télescopages itératifs sont aussi néfastes que l'écrasement par une chaussure trop serrée... [8] »

Dans tous les cas, il vaut mieux mesurer vos pieds chaque fois que vous désirez acheter de nouvelles chaussures. Mesurez la longueur du pied, du talon à l'orteil le plus long, ainsi que la largeur du pied et faites correspondre la pointure appropriée.

La pointure

Bien qu'il existe un système de pointures aux normes ISO nommé le Mondopoint, chaque pays utilise encore un système qui lui est propre. Voici un tableau de pointures correspondantes à celles des pieds en centimètres et en pouces.

8.   Braun (Dr S.). « La douleur, le pied et la chaussure »,
     Revue de l'Institut de calcéologie n°3, 1986, pp. 18-24, ill.

SYSTÈME	POINTURES							
US ET CANADA			5	5½	6	6½	7	7½
EUROPE		35	35½	36	37	37½	38	38½
U.K.			2½	3	3½	4	4½	5
MEXIQUE							4.5	5
POUCES		9	9⅛	9¼	9⅜	9½	9⅝	9¾
CENTIMÈTRES		22.8	23.1	23.5	23.8	24.1	24.5	24.8
MONDOPOINT		228	231	235	238	241	245	248

Ne vous fiez pas aux pointures indiquées par les fabricants. Les fabricants utilisant plusieurs systèmes d'unités, la même pointure pourra varier parfois jusqu'à une pointure de plus ou de moins d'un pays à l'autre. Ainsi, si vous chaussez normalement du 37 chez un designer italien, cette pointure pourra être l'équivalent d'un 8 chez un concurrent américain.

Ne cherchez pas à rentrer votre pied dans une pointure 6 si vous faites du 9. Les belles-sœurs de Cendrillon n'ont pas réussi à tromper le prince, vous n'y arriverez pas non plus !

4 Dénicher la bonne paire

Si votre poitrine correspond à un bonnet de taille C, allez-vous chercher à agrafer un soutien-gorge de taille A ? Et si vous parveniez à le mettre, seriez-vous certaine de vous sentir au meilleur de vous-même ?

Le même principe prévaut avec les chaussures. Ni trop grandes, ni trop étroites, ni trop courtes ou trop larges, les chaussures doivent être adaptées à la morphologie de vos pieds.

8	8½ . 9	9½	10	10½	12	13	14	15½	
39	40	41	42	43	44	45	46½	48½	
5½	6 . 6½	7	7½	8	9½	10½	11½	13	
5.5	6	6.5	7	7.5	9	10	11	12.5	

9⅞	10	10⅛	10¼	10½	10¾	11	11¼	11½
25.1	25.4	25.7	26	26.7	27.3	27.9	28.6	29.2
251	254	257	260	267	273	279	286	292

Nous l'avons vu plus tôt, la longueur des orteils, la forme arrondie, carrée ou pointue du pied, la longueur, la largeur et l'épaisseur des pieds et l'amplitude de l'arche de la voute plantaire varient énormément d'une femme à l'autre. Un ajustement inadapté peut provoquer de sérieuses blessures et des douleurs persistantes qui réduisent l'intérêt et la valeur de l'investissement.

LE TEST DE STABILITÉ

Avant même de penser enfiler les chaussures que vous venez de dénicher, assurez-vous qu'elles soient stables. L'exercice est simple :

- Posez les chaussures sur une surface plane et dépourvue de tout relief, que ce soit sur le sol, un présentoir ou le comptoir du magasin ;
- Tapotez du bout des doigts chacune des chaussures dans un mouvement latéral, comme si vous vouliez les faire tomber, la droite puis la gauche ;
- Celles-ci ne doivent pas basculer. Si elles tremblent ou vacillent au moindre petit tapotement, c'est que l'architecture de la chaussure est mal conçue et que son poids est mal équilibré. Si la chaussure est instable, vos chevilles devront travailler davantage afin de compenser ce défaut.

Chaque chaussure étant unique, vous avez intérêt à essayer deux paires identiques de la même pointure. Parfois le pied droit ou le gauche ne présentent pas les mêmes signes de stabilité. Demandez au commis-vendeur de vous apporter une autre paire et choisissez la combinaison qui vacillera le moins.

Mon conseil : si les chaussures semblent danser toutes seules, oubliez-les. Si, toutefois, vous succombez malgré leur défaut de fabrication, il vous faudra redoubler d'effort pour muscler vos chevilles et éviter au mieux une démarche chancelante. Si Bambi semblait mignon sur ces pattes frêles, une femme qui semble marcher sur des œufs dès qu'elle se lève n'a rien de charmant. Vous risquez sérieusement de vous blesser et, par la même occasion, d'ébrécher sérieusement votre confiance.

LE TEST DU POIDS

Soyez vigilante et pesez bien vos chaussures. Nous cherchons à trouver une chaussure dont le poids est équilibré.

- Prenez la chaussure dans vos mains ;
- Posez la pointe dans votre main gauche et le talon dans l'autre main ;
- Évaluez si le poids est bien réparti sur les deux mains ou si, au contraire, l'arrière semble plus lourd que le devant de la chaussure ;

Si le talon est considérablement plus lourd que la pointe, il est fort probable que vous aurez de la difficulté à maintenir la chaussure bien en place. Votre talon aura tendance à quitter la chaussure à chaque pas et vous serez obligée de crisper vos orteils de manière excessive afin de retenir la chaussure à votre pied, ce qui aura pour effet de causer des crampes importantes à vos mollets, particulièrement à l'arrière du genou. Votre démarche sera plus grossière, plus lourde et laborieuse. Les gros talons en bois présentent souvent cet inconvénient.

COUSSINETS OU PAS COUSSINETS

Nous avons la chance parfois de tomber sur cette rareté, le détail attentionné normalement réservé aux chaussures luxueuses. Un des éléments que j'apprécie particulièrement est le coussinet que certains fabricants prennent la peine de poser à l'endroit où repose la plante du pied. Ces millimètres de bourrure moelleuse peuvent réellement prolonger nos soirées. À l'inverse, si la chaussure est privée de tout confort rembourré, sachez que les effets de la fatigue se feront sentir beaucoup plus rapidement. La position stationnaire sur les sols durs comme le carrelage, le marbre ou le béton vous causera une douleur cinglante, particulièrement si vos talons sont très hauts ou que la semelle est très mince. Il n'y a rien de très joli chez une femme qui piaffe toute la soirée et dont le visage se trouve tordu par un inconfort évident. N'hésitez donc pas à ajouter un coussinet manquant et préférablement en cuir !

La forme

Optez pour une chaussure qui épouse naturellement la forme de votre pied : règle souvent difficile à respecter lorsque la mode nous contraint à chausser des créations qui compriment sérieusement nos orteils. Je pense particulièrement à la star des talons hauts, le fameux *stiletto*. Enfilez toujours les deux chaussures avant de les acheter ! Il existe parfois de grandes différences entre notre pied gauche et notre pied droit. Malheureusement, peu de fabricants *grand public* offrent un choix de largeurs, contrairement aux grands designers chez lesquels on trouve davantage de pointures. Prenez soin de bien attacher et régler les lacets, les courroies, les fermetures éclair, les boutons, etc. afin que vos pieds soient bien maintenus. Nous n'oserions jamais acheter une robe qui comprime nos seins ou dont les bretelles glissent continuellement sur nos épaules. Alors pourquoi en serait-il autrement avec les chaussures ? Assurez-vous qu'elles épousent vos pieds à la perfection.

c Le talon

Votre talon ne doit jamais dépasser à l'arrière et encore moins déborder sur le côté lorsque vous portez des sandales ou toute chaussure qui dévoile vos pieds dénudés. Là encore, le risque d'ecchymose existe et le résultat n'est pas esthétique.

c
le talon

d
les orteils

e
l'arche

f
les sangles

Faites particulièrement attention à l'achat de mules qui présentent souvent l'inconvénient d'avoir une semelle très étroite qui tend à faire déborder le talon.

Lorsque vous portez des escarpins ou toute autre chaussure fermée, votre talon doit obligatoirement embrasser le contrefort. Ne laissez qu'un très petit espace entre votre talon et la chaussure, sinon celle-ci aura tendance à «galocher», c'est-à-dire à quitter votre pied lors de la marche. Pour ne pas perdre votre chaussure, vous devrez alors compenser en agrippant vos orteils à la semelle, ce qui se traduira par de belles crampes aux mollets.

Si le contrefort semble un peu haut, ajoutez une talonnette en cuir ou en silicone afin de surélever votre talon pour qu'il adopte une position confortable.

d ET CES ORTEILS ?

Il n'y a rien de plus sordide que de voir des orteils s'agripper aux rebords d'une chaussure tel un naufragé à une bouée. Vos orteils doivent reposer naturellement à l'intérieur de la chaussure en suivant la courbe de la semelle, particulièrement lorsqu'il s'agit de sandales ou de *peek-a-boo* [9]. Vous vous éviterez aussi des ecchymoses et des crampes douloureuses.

Exception : Les chaussures à bout pointu compriment les orteils et les maintiennent rapprochés dans un angle très fermé. Cette forme n'est ni naturelle ni souhaitable. Mais comme nous ne nous empêcherons pas d'acheter ces for-midables *stilettos*, il faudra dispenser les soins appropriés à nos pieds et pratiquer religieusement les étirements adéquats, une fois de retour à la maison (Voir chapitre 5).

e L'ARCHE

Idéalement, l'arche de votre pied devrait épouser la cam-brure de la chaussure pour deux raisons :

- L'espace non rempli entre votre pied et la semelle est loin d'être esthétique, même si certains hommes trouvent ce vide assez sexy.
- Votre pied sera mieux soutenu et votre poids mieux réparti si l'arche du pied repose sur la semelle.

[9.] *Escarpin dont le bout est découpé afin de laisser au moins deux orteils à nu*

Deux cas à surveiller :

- Celles qui ont une arche de pied très voutée, comme les ballerines, ont plus de difficulté à trouver des chaussures adaptées à leur morphologie.
- Celles qui ont les pieds plats ont du mal à trouver des chaussures qui offrent une semelle dotée d'un petit renfort qui servira à soutenir l'arche du pied naturellement affaissée. Dans ce cas, il est important de veiller à ajouter une semelle avec renfort que l'on trouve facilement dans les pharmacies ou chez les cordonniers. Je privilégie toujours le cuir à toute autre matière.

f LES SANGLES, COURROIES ET FERMETURES ÉCLAIR

Faites très attention à la manière dont les sangles ou courroies enserrent vos pieds. Il faut que la chaussure épouse vos pieds sans trop les serrer ou sans laisser des marques évidentes de strangulation.

AUX CHEVILLES

Elles doivent bien embrasser les chevilles sans toutefois les étrangler. Attention aux boucles de métal qui parfois sont placées juste au niveau de l'os de la cheville (malléole interne) et peuvent causer des ecchymoses.

Si la chaussure s'attache avec des lacets ou des rubans, prenez la peine de les nouer pendant que votre pied repose sur le sol. Dans cette position, les rubans seront adaptés aux mouvements de flexion dictés par la marche et ne marqueront pas autant les chevilles.

Certains fabricants ajoutent aux sangles une petite pièce élastique qui donne une plus grande flexibilité et un confort accru.

AUX ORTEILS

Elles ne doivent ni comprimer ni lacérer les orteils. Idéalement, vous pourrez les déplacer afin de respecter les points d'appui les plus confortables pour vous.

AU TALON

Elles ne doivent pas comprimer le talon, ce qui pourrait

provoquer des bursites communément appelées déforma-
tions de Haglund.

Les fermetures éclair, souvent placées à l'arrière
de la chaussure, peuvent être inconfortables, surtout en
raison de la rigidité du métal. Prenez soin de bien placer
la gaine de protection qui fera office d'écran entre le métal
et votre talon.

DE LA QUALITÉ, SVP

Le marché de détail offre un choix extraordinaire de chaussures à talons hauts pour le plus grand bonheur des
consommatrices. Cependant, la qualité de leur confection
est loin d'être homogène d'une marque à l'autre. Étant
donné que l'achat de talons hauts représente une dépense
importante dans le budget d'une garde-robe, il est pri-
mordial de savoir reconnaitre les bons des mauvais achats.

Matériau

Le cuir demeure encore le matériau le plus utilisé dans
la fabrication de la chaussure. Matière souple et flexible,
il épouse facilement la forme du pied et s'ajuste naturellement à tout changement de température ou d'humidité.
Ne dit-on pas que le cuir respire ? Le cuir étant ni plus
ni moins que de la peau d'animal (buffle, vache, daim,
agneau. etc.), son origine naturelle stimule à la fois le sens
du toucher et de l'odorat, et apporte une touche de sensualité à nos précieuses chaussures.

Quelques créateurs adoptent les fibres végétales comme
une alternative intéressante au cuir. Évitez le nylon,
le plastique ou toute autre fibre synthétique qui offre
peu de malléabilité, de flexibilité ou de confort.

Semelle extérieure

Si la semelle est collée, assurez-vous qu'elle soit bien
en place et qu'il n'y ait aucun espace notable qui la sépare
de la tige. Vous ne voulez tout de même pas vous balader
avec une semelle qui baille ! Si la semelle est cousue,
assurez-vous que les coutures soient régulières et solides.

Caoutchouc

Certains talons sont dépourvus de ce fameux bonbout
de caoutchouc si précieux, rendant alors la marche très
périlleuse. Vous pouvez toujours courir chez votre cordonnier pour faire corriger cela.

L'INTÉRIEUR

Les chaussures de qualité sont constituées d'un intérieur tout en cuir, incluant l'ensemble de la doublure ainsi que la semelle de propreté. Évitez les doublures synthétiques ou, à tout le moins, ajoutez une semelle de propreté en cuir que vous ferez coller par votre cordonnier pour un confort accru.

Je sais, nous cédons toutes de temps à autre pour une paire «*made in China*»...

L'ESSAYAGE

Vous avez choisi des chaussures qui s'harmonisent parfaitement à la morphologie de votre pied. Elles sont équilibrées et de bonne qualité. Bravo ! Maintenant essayons-les !

Avant toute chose, mesdames, prenez le temps de vous asseoir pour essayer vos chaussures. Je suis toujours sidérée lorsque j'observe une femme mettre des chaussures en équilibre sur une jambe, s'agrippant au présentoir alors que son sac ne cesse de glisser de son épaule. Pourquoi se donner tant de mal ? Asseyez-vous, posez vos sacs, enlevez votre manteau et surtout, surtout, mettez les chaussures aux deux pieds.

Glisseriez-vous une seule jambe dans vos jeans... impensable, non ?

Vous devez toujours essayer les chaussures dans des conditions similaires à celles où vous prévoyez les porter. En hiver, apportez des bas ou demandez au commis de vous en prêter. Un pied nu ou habillé n'adhèrent pas de la même façon à la chaussure.

J'aime glisser une semelle de cuir lors des essais. Elles permettent un meilleur confort en tout temps.

Vous les avez enfilées, ajustées, attachées... maintenant il est temps de faire un constat :

QUESTIONS À SE POSER

- Votre pied repose-t-il aisément à l'intérieur de la chaussure ?
- Vos orteils sont-ils compressés, étouffés ou se chevauchent-ils au point de ne plus pouvoir les bouger ?

- Trouvez-vous appui sur l'ensemble de votre pied, ou les points de contact sont-ils limités ?
- La cambrure de la chaussure épouse-t-elle votre voute plantaire ?
- Sentez-vous des douleurs apparaitre aussitôt les avoir enfilées ?
- Où est localisée la douleur : au niveau des orteils, du talon, sous le premier métatarse ou la plante du pied ?
- Les courroies s'enfoncent-elles dans la peau ?
- Le décolleté de la chaussure vous coupe-t-il la circulation sanguine ?
- Votre talon tient-il bien en place ou frotte-t-il contre la paroi de la chaussure ?
- Sont-elles vraiment très rigides ou, au contraire, appréciez-vous leur souplesse ?

Si vous ressentez des points de douleur dès les premières secondes, la raison est que les chaussures ne sont pas dessinées pour vous. Reposez-les immédiatement sur la tablette sans regret. Je suis intransigeante.

Une chaussure ne doit jamais causer de traumatismes alors que vous n'avez même pas encore quitté la boutique : la petite douleur qui vous semble à peine perceptible ne sera qu'amplifiée avec le temps. Vous imaginez-vous porter ces engins de torture pendant des heures ? Je vous l'assure, elles ne casseront pas, elles ne s'assoupliront pas et elles ne se mouleront certainement pas à vos pieds, même si vous décidiez de ne jamais les quitter !

Vous pourriez accepter de vous sentir légèrement à l'étroit en espérant que la chaussure prenne un peu d'expansion. Il est possible aussi qu'elles s'assouplissent ou que le cuir s'étire légèrement si vous utilisez un embauchoir ou que vous les bourrez de papier journal humide pendant quelques jours. Mais gare aux vendeurs qui vous assureront que vous pourrez **casser** ces plateformes faites de plastique ou fabriquées en Chine avec des matériaux inconnus. Ne videz pas votre porte-monnaie en espérant un miracle ! Que de peine perdue.

Il y a parfois des moments où les femmes perdent la raison et succombent à des talons hauts malgré les nombreux indices qui devraient les en dissuader. Ne les portez alors que quelques heures à la fois, pour un spectacle ou un souper, et prévoyez un chauffeur qui vous attendra à la sortie de l'évènement ! Inutile de croire que vous pourrez assister à un concert rock debout au parterre du Centre Bell, marcher le long des quais de la Seine ou faire une longue balade dans Central Park sous un ciel étoilé. Vous n'êtes tout de même pas masochiste à ce point-là ! Finir une soirée en larmes n'a vraiment rien de sexy.

CHERCHEZ LE BON ÉQUILIBRE

Essayez les chaussures sans retenue tant et aussi longtemps que vous êtes dans la boutique. Vous vous êtes déplacée pour magasiner intelligemment et surtout prendre le temps de faire votre propre idée en toute connaissance de cause. Laissez l'excitation de votre découverte de côté un instant et soyez vigilante.

Une fois les chaussures bien en place et que leur forme convient, il est temps de vous mettre debout. Levez-vous doucement en répartissant votre poids équitablement sur vos deux pieds.

Attention : Plus les talons seront hauts, plus votre poids sera projeté vers l'avant sur la plante des pieds, et plus la verticalité de votre axe corporel sera modifiée et devra être corrigée (Voir chapitre 3).

- Est-ce que vos chaussures vous semblent instables ?
- Ressemblez-vous à Bambi alors que vous cherchez désespérément à rétablir votre équilibre ?
- Êtes-vous obligée de rectifier votre posture de façon draconienne ?
- Vos genoux sont-ils forcés de se plier davantage ou, au contraire, se bloquent-ils dans une position tendue ?
- Demandez-vous un effort inhabituel à vos chevilles ?
- Êtes-vous en mesure d'avancer toute seule, ou avez-vous besoin de prendre appui ou de recourir à un soutien extérieur et stabilisateur ?

Si vous avez déjà du mal à vous tenir debout, je peux vous garantir que vous aurez beaucoup de difficulté à déambuler avec aisance. Votre démarche risque d'être disgracieuse et sera loin d'offrir l'effet désiré. Mais comme je ne détiens pas la science infuse et que vous avez peut-être des talents cachés… allez-y et engagez le mouvement.

L'essai

Accroupissez-vous : Tenez-vous bien droite, les pieds joints, puis essayez de vous accroupir en petit bonhomme pour ensuite vous relever. Ce mouvement est un très bon indicateur pour vérifier si la chaussure est bien équilibrée. Si vous êtes en mesure de monter et descendre sans osciller de manière perceptible, les chaussures sont prometteuses !

Marchez : Engagez un pas « normal ». Ne vous contentez pas seulement d'un ou de deux petits pas de souris exécutés en vitesse avant de vous rasseoir pour admirer ces petits bijoux. Non ! Marchez toute la longueur de la boutique. Faites plusieurs allers-retours dans les allées, sur le tapis, le carrelage ou tout autre revêtement de sol disponible qui vous permettra d'évaluer les problèmes potentiels. Il n'y aucune gêne à avoir. Vous êtes là pour faire des essais ! Concentrez-vous, éloignez-vous du miroir et marchez. Vous ne pourrez jamais savoir si cette chaussure vous convient en restant assise ou en vous admirant dans la glace ! Alors, jouez au mannequin et déambulez librement et aussi longtemps qu'il faudra pour que vous puissiez apprivoiser ces chaussures et apprécier si elles sont pour vous.

Vos observations

- Ressentez-vous l'impression de tanguer comme une barque ?
- Avez-vous de la difficulté à mettre un pied devant l'autre ?
- Vos chevilles chancellent-elles à chaque pas ?
- Devez-vous recroqueviller vos orteils pour ne pas perdre les chaussures ?
- Votre corps est-il à ce point désaxé que vous devez plier les genoux ou, au contraire, les bloquer, entrainant la bascule de votre bassin vers l'arrière ?
- Sentez-vous une crispation dans vos bras, vos épaules et votre cou ?
- De nouvelles douleurs ont-elles fait leur apparition ?

Si, au bout de quelques allers-retours, vous êtes toujours incapable de gambader sans craindre de tomber, de vous fouler la cheville ou de perdre les chaussures, ou si elles vous font souffrir ici et là, il faut vous rendre à l'évidence. Ces chaussures ne veulent pas de vous et vous ne voulez pas d'elles! Remettez-les dans la boite et cherchez une autre paire.

Je sais… vous les aimez tellement. Elles seraient parfaites avec votre petite robe de cocktail vintage… **Non!** Laissez tomber. Mieux vaut rompre cette histoire d'amour sur-le-champ plutôt que de vous embourber dans une relation conflictuelle avec ces chaussures.

J'avoue devoir parfois essayer dix ou quinze paires de talons hauts avant de trouver ceux qui me permettent de déambuler avec grâce en affichant cette allure de panthère! Alors, ne vous découragez pas. Achetez des talons hauts, c'est comme aller à la chasse. Il faut y aller avec courage et détermination si nous voulons ramener un beau trophée!

LES ACHATS EN LIGNE

De plus en plus de consommatrices achètent leurs chaussures en ligne sur les nombreux sites Web qui doivent, de façon régulière, offrir de bonnes aubaines ou encore certaines exclusivités afin de concurrencer les magasins de vente au détail.

Si vous vous sentez aventureuse et que vous décidez d'acheter virtuellement, assurez-vous que votre achat pourra être retourné à l'expéditeur, au besoin, et que vous serez remboursée. Si vous recevez vos chaussures et qu'elles ne vous conviennent pas, la bonne affaire n'est soudainement plus une bonne affaire du tout. Et cette nouvelle paire ira rejoindre votre cimetière de chaussures déjà abondamment rempli de toutes ces beautés insolentes.

Une fois que vous aurez trouvé le designer ou le fabricant dont les chaussures correspondent à votre morphologie, vous vous sentirez plus à l'aise de commander sans craindre la catastrophe! Les modèles qui vous conviennent méritent peut-être que vous les achetiez en différentes couleurs ou matériaux. L'escarpin noir en cuir ressemble peu à celui en suède gris. Et même si une de vos copines remarquait que vous avez des paires similaires… ne laissez surtout pas cela vous en dissuader.

LES ACCESSOIRES

Si vous avez des talents pour la création, vous pouvez toujours agrémenter vos chaussures d'accessoires tels les fameux *Heel condoms* ou simplement ajouter à vos chaussures des nœuds, des fleurs en soie ou des rubans! Le choix dans les boutiques pour cheveux est vaste. Une simple modification peut prolonger la vie de vos chaussures préférées ou les remettre au goût du jour. De plus, vous aurez l'impression de posséder davantage de modèles différents sans avoir à débourser une fortune!

la plateforme

Le principe
de la verticalité

« *On ne peut pas marcher en regardant les étoiles quand
on a une pierre dans son soulier.* »

Proverbe chinois

1 L'importance de la posture

« Tiens-toi droite ! » Vous avez dû entendre cette phrase des milliers de fois ! Se tenir droite ajoute considérablement de distinction à votre allure. Les personnes dont la posture est irréprochable semblent plus compétentes aux yeux de leurs interlocuteurs et dignes d'une plus grande confiance. Elles ont une apparence plus jeune et semblent profiter d'une meilleure santé.

Comment tient-on debout ?

La simple action de se tenir debout relève d'un savant calcul inconscient qui se déclenche dans le cervelet, amenant le corps à défier la gravité et à trouver l'équilibre parfait. Il aura fallu des milliers d'années d'évolution avant que l'Homme adopte enfin la position verticale. Nous tenons pour acquis ce qui a constitué une extraordinaire révolution dans la vie de l'Homme.

Nous nous tenons debout avec une facilité stupéfiante, malgré la grande force de gravité qui s'exerce sur nous en permanence. Soutenus par notre cerveau « primitif » (essentiellement le système limbique), les articulations, les muscles, les tendons et les organes se coordonnent automatiquement sans que nous ayons à réfléchir ou à préparer chaque action. Lorsque nous décidons d'engager un mouvement, nous sollicitons alors volontairement les fibres musculaires d'activité, alors que les fibres musculaires posturales maintiennent notre corps en équilibre dans la position verticale. Malgré cette facilité naturelle à nous dresser à la verticale, nous imposons de fortes contraintes supplémentaires à notre corps lorsque nous adoptons une mauvaise posture, entraînant par la même occasion des stress extraordinaires aux articulations.

N'est-il pas surprenant de constater combien nous nous plaignons de douleurs et de tensions sans jamais prendre la peine de remettre notre posture en question ? Au-delà des problèmes qu'elle peut causer à notre santé, nous oublions également que notre posture révèle une multitude de détails sur notre personne, notre âge (qui peut différer de l'âge réel) ainsi que sur notre personnalité.

La posture est donc à l'image de chacun et est directement liée :

- à la morphologie (qui peut changer) ;
- à l'«héritage» corporel (au sens de l'intégration gestuelle et posturale par mimétisme) ;
- aux activités sportives, artistiques, telles que la danse, la gymnastique ou autres ;
- à l'histoire psychoaffective ;
- à l'imaginaire et aux tendances comportementales.

Nous avons donc toutes une posture qui nous est propre et qui nous caractérise sans être nécessairement idéale.

CES GAZELLES

Porter des talons hauts s'apparente à s'engager dans une bataille où l'ennemi n'est pas toujours la chaussure elle-même mais souvent celle qui la porte.

Qu'est-ce qui rend le port des talons hauts si difficile ? Pourquoi tant de femmes se sentent-elles aussi incompétentes et hésitent-elles à les enfiler ?

Nous restons toujours surprises et quelque peu envieuses de ces gazelles que l'on croise parfois par hasard et qui parviennent immanquablement à attirer l'attention. Si ces femmes semblent être nées chaussées de leurs talons hauts, nous sommes en droit de nous demander ce qui les rend si fabuleuses. Qu'ont-elles de si particulier, de si différent des autres femmes pour susciter autant d'admiration ?

La facilité avec laquelle ces femmes se déplacent, tournoient, vrillent et pivotent nous fait croire que porter des talons hauts est un véritable jeu d'enfant. L'aisance de leur démarche et la souplesse de leur allure ajoutent une dimension remarquable à leur charme. Tout en enjambant allégrement les obstacles, ce qui pour toute autre constitueraient un défi, elles gambadent et sautillent en souriant d'amusement. Pas de stress, pas d'hésitation, pas de vacillements craintifs ou de faux pas malhabiles. Agiles, légères et pleines d'assurance, elles déambulent la tête bien haute, certaines de l'effet qu'elles provoquent.

La fascination distrait quiconque les aperçoit, alors qu'inévitablement elles réveillent chez certains une forme de désir libidineux.

Par quel tour de magie peuvent-elles être aussi sûres d'elles-mêmes, alors qu'elles regardent le monde de si haut perchées ?

Nous l'avons vu plus tôt, le premier élément important dans cette entreprise est de bien savoir choisir vos chaussures afin qu'elles soient adaptées à vos pieds. Si vous avez bien suivi mes conseils, vous les avez repérées, examinées, essayées et emballées. Voilà une bonne chose de faite. Que fait-on maintenant que vous les avez aux pieds ? Eh bien, mesdames, il vous faut maintenant apprendre à les porter avec grâce et assurance afin de prétendre appartenir à cette race de femmes dites distinguées.

LES EFFETS DES TALONS SUR LE CORPS

Nous n'avons cesse d'entendre médecins et spécialistes dénoncer les méfaits et conséquences perverses du port des talons hauts, sans doute depuis que Catherine de Médicis les a introduits à la cour de France au 16e siècle.

Ne faisons pas l'autruche ! Il est vrai que de nombreux problèmes de santé, parfois sévères, surviennent chaque année chez des milliers de femmes adeptes des hauteurs. Pourtant, rien de vraiment nouveau n'a été découvert par le corps médical à ce sujet depuis des décennies. À ma connaissance, aucun médecin ou spécialiste n'offre d'autres solutions que celles d'abandonner ces chaussures ou, au mieux, d'en diminuer considérablement la hauteur. Au grand désespoir du corps médical, ces solutions sont irrecevables pour la plupart des femmes qui, dans leur for intérieur, n'accepteront jamais de se déchausser.

Descendre de ses talons reviendrait à abdiquer et à reléguer aux oubliettes ce signe distinctif de la féminité. À moins d'en être contraintes et forcées, les femmes refuseront toujours de se départir de leurs *stilettos*. Les féministes, malgré leurs impressionnantes victoires sociopolitiques, ont échoué dans leurs tentatives à cet égard. Le corps médical, malgré les montagnes de preuves accablantes accumulées depuis des décennies, semblerait avoir eu beaucoup plus de succès à enrayer le fléau du tabagisme que celui du port des talons hauts.

Parce que « *La plupart des femmes préfèrent aller en enfer en talons hauts plutôt qu'au paradis en talons plats* » [10], il est grand temps de leur proposer d'autres alternatives que de jeter leurs précieuses chaussures aux ordures ou de redescendre sur le plancher des vaches.

Dans ces conditions, malgré les mises en garde de toutes sortes et les innombrables constats d'échec, n'est-il pas étrange d'observer que peu de professionnels se soient réellement penchés sur la meilleure manière de porter ces fameux talons hauts ? Si nous assistons à quelques initiatives ici et là d'entraineurs, de coachs ou de chroniqueurs mode, leurs conseils demeurent encore trop simplistes à mon goût.

Les femmes méritent qu'on s'attarde aux problèmes qu'amène le port de talons hauts. Et je suis convaincue que, si chacune apprenait à connaitre véritablement son corps et prenait soin de gérer les assauts qu'on lui fait subir lorsqu'elle est chaussée de ses merveilles, nous réduirions les risques de blessures, minimiserions les petits bobos et surtout corrigerions cette posture qui est à la fois inesthétique et préjudiciable.

Il faut comprendre en premier lieu les effets que les talons hauts ont sur votre corps et votre posture. Que se passe-t-il lorsque vous grimpez sur vos centimètres de talon ?

En enfilant des talons, la verticalité du corps se trouve passablement perturbée, faisant basculer le poids de votre corps vers l'avant du pied et entrainant, par la même occasion, un déséquilibre important ainsi qu'un désalignement de l'axe naturel. Plus les talons sont hauts, plus le transfert de votre poids vers l'avant de votre pied est important. Ne pas rectifier votre posture à l'instant précis où le transfert de poids s'effectue vers l'avant ne manquerait pas de vous faire tomber sur le nez. Mais le corps possède une intelligence surprenante où, à ce moment crucial, il apporte instantanément les rectifications qui s'imposent afin de parer à l'accident potentiel. Le corps se réorganise, cherchant à rétablir son axe vertical naturel avec plus ou moins de réussite.

C'est ainsi que nous remarquons chez certaines femmes les maladresses de leur démarche. Comprenant mal comment leur corps est affecté par le port des talons hauts, elles ont du mal à trouver les moyens de corriger leur posture soudainement désaxée.

---

10.   *William Rossi. Érotisme du pied et de la chaussure, Éditions Payot & Rivage pour l'édition de Poche, Paris, 2003*

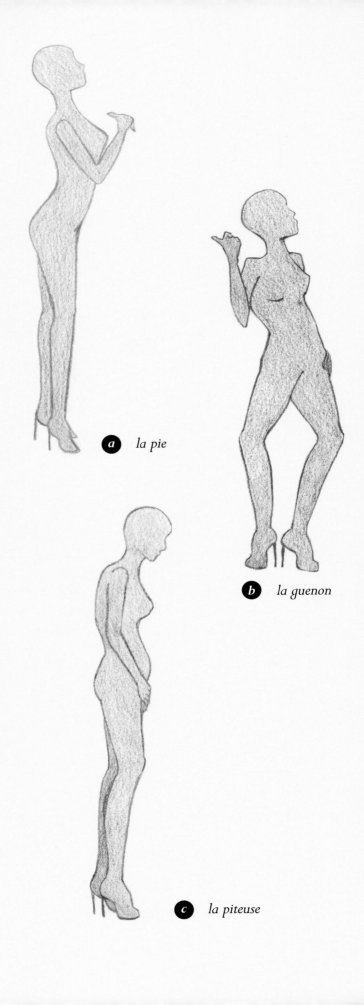

a   *la pie*

b   *la guenon*

c   *la piteuse*

Au-delà des avantages évidents pour le bien-être que procure l'art du maintien, connaitre son corps et adopter la bonne posture permet d'enrichir son langage corporel, personnaliser sa gestuelle et mettre en valeur sa féminité tout en se distinguant des autres.

LES POSTURES À PROSCRIRE

La méconnaissance des effets des talons hauts sur le corps entraine l'adoption de postures aussi farfelues que dommageables. On repère facilement ces femmes un peu godiches qui émettent en permanence des signaux de détresse sans même en être conscientes. Se tordant dans tous les sens, piaffant, le nez pointé vers le sol, les bras en l'air comme les palmes d'un moulin à vent, elles hypothèquent d'emblée leur capital-fascination, leur capital-pouvoir ainsi que leur capital-érotique. Au lieu d'attirer des regards de ravissement, elles suscitent la pitié et la consternation. Personne n'oserait leur dire à quel point elles manquent de sophistication. Alors qu'elles s'efforcent de se tenir debout et de ne pas trébucher, toute attention étant dirigée vers la pose d'un pas devant l'autre, elles passent à côté de l'essentiel. Comment voulez-vous déployer toute la grâce de l'élégance si vous êtes incapable de marcher normalement ou que vous êtes terrassée par l'inconfort de la chaussure et que la douleur vous accable ? Comment pouvez-vous apprivoiser le pouvoir de la chaussure si vous êtes incapable de maitriser l'objet lui-même ?

Je suis certaine que vous avez déjà été témoin de quelques postures inadéquates décrites ici de manière presque caricaturale afin de mieux les illustrer.

Il existe trois catégories de démarches disgracieuses, suffisamment récurrentes et représentatives des erreurs commises par la majorité des femmes, pour que je les décrive ci-dessous comme étant des archétypes du contre-exemple à ne pas suivre.

a LA PIE

- Cette femme affiche une allure sèche très loin d'une démarche suave et sensuelle : genoux tendus, limitant la foulée des pas, bassin basculé vers l'arrière, fessiers bombés, lombaires arquées, buste en avancé, épaules projetées vers l'arrière, bras pliés et raidis, menton levé.

Conséquences : pression et douleurs au dos, aux lombaires et au cou.

b LA GUENON

> • Cette femme affiche une allure quelque peu grossière : bassin basculé vers l'avant, hanches et cuisses ouvertes, genoux pliés, flexion du torse sous la poitrine, bras souvent ballants, menton avancé.

Conséquences : pression exagérée sur les hanches et tensions aux articulations des genoux, compression des organes mous.

c LA PITEUSE

> • Cette femme dégage une allure dépourvue d'assurance : regard vers le sol, épaules tombantes, bras ballants, colonne vertébrale sans tonus.

Conséquences : pression excessive sur les genoux, tensions excessives aux trapèzes et compression des organes internes de l'abdomen. Cassure sous les seins, leur donnant une allure tristounette.

Le trait commun à toutes ces postures chaotiques est la perte de verticalité naturelle du corps, engendrée par la bascule et le transfert du poids vers l'avant du pied. Cou cassé, genoux pliés, épaules tombantes sont des désordres physionomiques provoqués par la perte de cette verticalité naturelle du corps. Malheureusement, ces réactions mécaniques et néfastes desservent l'esthétisme général du corps et peuvent causer de sérieuses douleurs et des inconforts répétés. Il n'y a rien de plus décevant que de voir une femme bien habillée et à l'apparence soignée adopter une mauvaise posture. Elle aura beau revêtir la plus magnifique robe de couturier ou afficher une beauté à couper le souffle, force de conviction, charme, élégance et sex-appeal seront défaits et anéantis par une posture disgracieuse. Quelle déception et quel gâchis !

le derby

2 Quelle est la posture idéale ?

Lorsque quelqu'un vous dit de vous tenir droite et que l'ordre percute vos oreilles, vous réagissez immédiatement en raidissant votre corps tout entier, croyant corriger d'un seul élan la mauvaise posture dénoncée. Les erreurs les plus fréquentes sont celles qui consistent à bander tous les muscles, à projeter les épaules vers l'arrière, tout en poussant le buste vers l'avant à la manière des soldats au garde-à-vous. Cette position amène, par la même occasion, le bas du dos à s'arquer. Les conséquences sont multiples : nous immobilisons les points d'articulations, nous relevons le menton, cassant le cou, comprimant ainsi les vertèbres cervicales. Pour couronner le tout, nous coupons soudainement notre respiration. L'effort demandé pour maintenir cette position est impressionnant et il n'est pas surprenant que la fatigue s'installe rapidement, particulièrement dans le dos, et que maintenir une telle position artificielle soit rapidement abandonné.

Le phénomène n'est pas nouveau. Je suis toujours surprise de lire des ouvrages, d'assister à des séances de mise en forme ou de maintien et de constater à quel point cette idée du « petit soldat » est solidement ancrée dans les habitudes des formateurs tout autant que dans l'inconscient collectif. À moins de faire réellement violence à son corps et de lui imposer par la force cette attitude que je qualifie de dictatoriale, il est absolument illusoire de croire que nous serons en mesure de maintenir une telle posture au-delà d'une courte période et d'espérer que notre corps enregistre cela comme étant une posture bénéfique.
Faites-en l'expérience. Sans crier gare, ordonnez à une personne de votre entourage de se tenir droite. Soyez attentive et constatez le mouvement qu'elle fait. Je suis prête à parier qu'elle pointera le bout de ses seins tout en bombant son torse, croyant obéir correctement à votre demande.

Une autre mauvaise posture souvent repérée est celle de se tenir sur une jambe ou de s'appuyer avec nonchalance contre un mur ou un meuble. Le corps ainsi détourné de son axe longiligne naturel doit engager, ici encore, des efforts considérables pour ne pas s'écrouler alors que le poids est transféré vers l'articulation de la hanche. Afin de compenser ce déséquilibre, les épaules se penchent dans la direction opposée et la tête, à son tour, se déplace en sens contraire afin d'agir comme contrepoids, amplifiant le **S** que dessine maintenant le corps. Si on retirait l'élément extérieur de support (le mur, la chaise, etc.), ces personnes tomberaient très certainement à la renverse.

Nous pourrions énumérer une longue liste des mauvaises postures que nous adoptons chaque jour. Que nous soyons debout, assises ou même couchées, nous imposons à notre corps une multitude d'efforts inutiles tout en lui infligeant des stress qui peuvent être, comme nous l'avons vu, très nuisibles à la santé. Le temps fait lentement son œuvre sur chacune d'entre nous, sans aucune discrimination. Les années risquent fort d'aggraver les mauvaises habitudes prises et engendrer des problèmes supplémentaires. Nous pouvons évoquer l'arthrite dégénérative, la cyphose… j'en passe, et des meilleures.

Lorsque nous observons une personne âgée appuyée sur sa marchette, nous comprenons combien la force de gravité est puissante et combien un entrainement physique régulier est essentiel au maintien d'une musculature tonique qui aurait sans doute épargné à cette personne la courbure excessive de sa colonne vertébrale.

À 91 ans, droit comme un piquet, sans bedaine ou surpoids, mon père me répète sans cesse que sa grande forme tient à un secret d'une simplicité enfantine : tous les jours il monte à pied les quatre étages qui le mènent à son appartement, sans oublier les vingt minutes d'exercices de musculation et d'étirement qu'il fait religieusement tous les matins à son réveil depuis plus de quarante ans. *« Il ne faut jamais cesser de huiler la machine ! »* dit-il.

À le voir, il serait difficile de contester la véracité de son propos !

Les jeunes femmes ne pensent guère aux conséquences à long terme de leurs mauvaises habitudes. La jeunesse leur semble éternelle et pourtant ! Je le répète, mon objectif ici est de vous voir toutes sur vos talons aussi longtemps que vous le souhaiterez !

d La bonne posture debout

Il faut d'abord comprendre que, lorsque nous sommes debout, le centre de gravité de notre corps se situe au-dessus du nombril ou au-dessus du sacrum, sur le squelette. La station debout, aboutissement de l'évolution phylogénétique de l'Homme, pose à celui-ci un problème de stabilité dont témoignent les mouvements incessants de son centre de gravité. Même immobile en apparence, l'Homme ajuste sa posture en permanence : il oscille dans un rayon d'environ quatre degrés.

Le contrôle très fin et automatique de ces oscillations est le fruit de nombreux facteurs (sensoriels, biomécaniques, neuropsychologiques) intégrés en temps réel dans un ensemble appelé *système postural*.

Le système postural permet à l'être humain de se stabiliser par rapport à lui-même et à son environnement. Pour ce faire, le système nerveux central reçoit en permanence les informations fournies par des capteurs dont les principaux sont les pieds, les yeux et les oreilles. Il traitera ensuite ces informations sensitives qui seront enfin traduites par des réactions mécaniques.

Les pieds jouent ainsi un rôle fondamental dans l'organisation de la posture et de la verticalité du corps. Il n'est donc pas surprenant de constater la difficulté à laquelle nous nous heurtons lorsque nous nous efforçons de rectifier notre posture et de nous tenir à la verticale.

L'auto-évaluation

Pour débuter, il est nécessaire de constater notre posture naturelle, comprendre les mécanismes d'une bonne posture afin de bien les mémoriser et pouvoir les retrouver une fois chaussée de talons hauts.

Pieds nus, vous allez faire une évaluation de votre posture naturelle actuelle. À la suite de ce constat, vous serez en mesure d'apporter les modifications nécessaires afin de corriger les éléments posturaux qui seront déficients. Dans un premier temps, n'essayez pas de corriger quoi que soit. L'exercice ici consiste à vous faire prendre conscience de la manière dont votre corps s'organise alors qu'il adopte la position debout. Prenez le temps de bien observer ce qui se passe dans votre corps en fermant les yeux.

d   *la bonne posture debout*

Concentrez-vous sur chaque partie de votre corps, puis laissez l'information faire son chemin jusqu'à votre cerveau. Enregistrez ensuite l'information.

- Sentez-vous les points d'appui de vos pieds ? Sont-ils situés au même endroit sur le pied gauche et sur le pied droit ? Avez-vous l'impression que votre poids pèse davantage sur un pied que sur l'autre ? Vos orteils sont-ils bien à plat ou avez-vous l'impression qu'il vous en manque un ou deux ? Votre voute plantaire touche-t-elle entièrement le sol ou seule la partie extérieure du pied prend appui ?
- Vos chevilles sont-elles stables ou penchent-elles d'un côté ?
- Vos mollets accusent-ils des crampes ou des raideurs ?
- Vos genoux sont-ils bloqués ou trop pliés ? Ont-ils tendance à tourner vers l'intérieur ou, au contraire, sont-ils plus facilement tournés vers l'extérieur ?
- Avez-vous les cuisses crispées ?
- Et le bassin ? Parvenez-vous à le basculer légèrement vers l'avant ou vers l'arrière ? Est-il totalement ankylosé ?
- Votre abdomen, est-il souple ou comprime-t-il vos organes ?
- Sentez-vous une tension dans les lombaires ?
- Avez-vous l'impression que vos seins pointent vers le haut ou vers le bas ?
- Vos épaules sont-elles détendues ou tendues ?
- Pouvez-vous faire de petites rotations d'épaules sans hurler de douleur ou sans entrainer votre tête dans le mouvement ?
- Votre tête a-t-elle la liberté de tourner sans contrainte ?
- Vos mâchoires sont-elles serrées à un point tel que vous grincez des dents ?
- Votre respiration se fait-elle librement ou devez-vous forcer l'inspiration ?

L'exercice que nous venons de faire est très important ! Il vous faut connaitre et reconnaitre la manière dont votre corps s'organise dans l'espace. Il vous faut graver cette photographie dans votre mémoire. Le cerveau, comme je l'ai déjà mentionné, doit capter les informations avant de renvoyer les directives. Jusqu'à présent, il l'a fait naturellement sans aucune aide de votre part et surtout sans que vous en soyez réellement consciente. Vous ne participez donc pas à l'organisation de votre posture actuelle ; vous la subissez et vous l'acceptez telle qu'elle est.

En apprenant à comprendre l'organisation de votre corps, vous pourrez aisément changer ce que vous choisirez d'améliorer. Vous le ferez d'abord volontairement puis, petit à petit, le cerveau enregistrera les nouvelles données et effacera les anciennes. Il sera d'autant plus favorable à ces changements que votre posture tendra à respecter la verticalité parfaite et s'accompagnera d'un certain bien-être et d'une liberté nouvelle dans le mouvement.

Identifiez les points à corriger pieds nus

Maintenant que vous avez pris conscience de votre posture naturelle, nous allons petit à petit intégrer les nouvelles données.
Nous avons vu au chapitre précédent que les pieds comportent trois points d'appui osseux en forme de triangle en plus des cinq points d'appui répartis sous chacun des orteils.

Les consignes : debout et pieds nus écartés à la largeur de vos épaules, vous allez :
- Repérer les huit points d'appui des pieds ;
- Répartir le poids sur les deux jambes ;
- Ne jamais bloquer les genoux ;
- Basculer le bassin légèrement vers l'avant afin d'éviter d'arquer les lombaires ;
- Relâcher les épaules ;
- Laisser les bras et les mains souples et libres de tensions ;
- Garder la tête libre en alignant les cervicales avec le reste de la colonne vertébrale ;
- Garder le regard droit à la hauteur de vos yeux ;
- Relâcher les mâchoires ;
- Respirer profondément.

Prenez le temps de bien enregistrer les différences que vous avez observées entre votre **posture naturelle** et la posture maintenant **corrigée**. Pour certaines, il est plus facile de faire l'exercice devant un miroir afin de constater visuellement les modulations. Dans un premier temps, vous pouvez vous placer devant un miroir et faire l'évaluation de votre posture naturelle les yeux fermés pour ensuite constater ce que le reflet vous renvoie. Puis, dans un deuxième temps, en gardant les yeux fermés, appliquez les consignes. Enregistrez ce qui se produit dans votre corps, puis observez les changements dans le miroir. Percevez-vous les différences ou pas ? N'imaginez pas pouvoir constater aussitôt une métamorphose importante dans votre corps. Les modulations sont parfois subtiles, presque insignifiantes ou imperceptibles, mais sachez qu'elles sont réelles et qu'elles soulageront votre corps du grand stress qu'il subit actuellement.

Une fois que vous avez bien enregistré les différences entre votre posture naturelle et votre posture corrigée alors que vous êtes pieds nus, il est temps de sortir vos talons du placard.

Identifiez les points à corriger en talons hauts

Chaussez vos talons hauts. Dans la position debout, prenez le temps de constater les réactions de votre corps dont l'axe vertical se trouve nécessairement désaligné. Ici encore, prenez le temps de bien enregistrer les effets des talons hauts sur les articulations, les muscles qui sont sollicités, sur les points de tension qui sont apparus. Constatez les changements du centre d'équilibre, du transfert de poids vers l'avant du pied et des effets sur votre tonus et votre posture. Quelles différences notez-vous ?

Vous avez maintenant trois points de références :
- votre posture naturelle pieds nus ;
- votre posture corrigée pieds nus ;
- votre posture naturelle en talons hauts.

À partir de cette position naturelle debout en talons hauts, vous allez maintenant faire appel à votre cerveau et à votre mémoire physique. Souvenez-vous des corrections que vous avez pu apporter à votre posture alors que vous étiez pieds nus. Maintenant, appliquez ces corrections à chacune des parties de votre corps et rectifiez cette posture qui a été forcément déréglée par les talons hauts.

Les consignes
- Laissez votre corps retrouver son aplomb en redirigeant votre poids vers l'arrière sur les talons ;

- Ancrez-vous en poussant vos pieds vers le sol en direction des points d'appui ;
- Roulez légèrement votre bassin en dessous de vous et vers l'avant afin de corriger la courbure exagérée des lombaires ;
- Dégagez de l'espace dans les lombaires et dans votre abdomen en imaginant que vous éloignez ou écartez votre cage thoracique de vos hanches ;
- Allongez et alignez la colonne en imaginant une ligne droite qui passe par le coccyx, puis le long de votre colonne vertébrale et, enfin, le long des vertèbres cervicales, pour se terminer au-dessus de votre crâne ;
- Imaginez qu'on tire légèrement la pointe de vos oreilles vers le haut ;
- Imaginez votre tête se détacher quelque peu du cou. Laissez-la flotter légèrement, tout en souplesse ;
- Posez le regard droit devant vous ;
- Laissez votre respiration emplir à la fois votre abdomen et vos poumons ;
- Ne comprimez pas vos muscles abdominaux ;
- Gardez vos genoux souples, ni pliés ni tendus ;
- Laissez tomber vos épaules en relâchant les trapèzes ;
- Dégagez de l'espace dans vos épaules en imaginant que vous disloquez la tête de l'humérus de la capsule articulaire ;
- Ouvrez légèrement vos mains et allongez vos doigts ;
- Détendez vos mâchoires, en poussant légèrement votre langue sur le dessus de vos dents inférieures.

Ça y est. Vous voilà bien érigée, bien droite et en parfait équilibre. Vous avez pris votre aplomb. Vous avez éliminé les sources de tension inutiles en utilisant les groupes de muscles posturaux au meilleur de leur efficacité. Vous avez créé de l'espace dans vos articulations, vous permettant ainsi une meilleure mobilité des membres et de la tête. Le flux d'air de votre respiration est libre de circuler sans entraves. Votre regard est franc et assuré.

Regardez-vous maintenant dans le miroir et constatez comme vous avez fière allure !

Maintenant **enregistrez** cette posture. Point par point, emmagasinez l'information et stockez-la dans votre mémoire. Il est très utile de passer en revue chaque partie du corps en lui imposant l'ancienne manière puis la nouvelle corrigée. Photographiez «dans votre esprit» les bonnes positions et classez les images ainsi que les nouvelles sensations dans votre cerveau. Vous serez surprise de voir combien cet exercice apporte des résultats positifs. Lorsque vous prenez soin d'enregistrer les données, vous pouvez vous y référer très facilement par la suite.

Cela s'apparente à écrire un document à l'ordinateur et le sauvegarder dans un dossier. Vous n'avez qu'à le sortir pour en relire le contenu. Même chose ici. Vous sauvegardez l'information dans votre cerveau et vous la consultez au besoin. Adviendra le moment où vous n'aurez plus à aller chercher le dossier, car toute l'information aura été enregistrée parfaitement dans votre cerveau qui enverra systématiquement les consignes à votre corps. À ce stade, les automatismes auront été acquis.

C'est l'objectif que nous cherchons à atteindre.

RÉCAPITULATIF :

- **Connaitre son corps ;**
- **Reconnaitre la posture naturelle ;**
- **Corriger la posture ;**
- **Adapter les corrections au port de talons hauts.**

3 L'importance de la visualisation

Vous avez déjà fait un travail de reconnaissance en constatant vos postures : naturelle, corrigée, pieds nus et en talons hauts. Vous avez fait appel à votre cerveau pour qu'il comprenne et enregistre les changements afin qu'il puisse envoyer automatiquement les nouvelles informations à l'ensemble de votre corps dès que la verticalité sera menacée.

Cela peut sembler bien compliqué et demander beaucoup de travail. Mais je vous assure que les changements que vous allez apporter progressivement dans votre vie de tous les jours auront des répercussions multipliées par mille sur votre bien-être et, par ricochet, sur la grâce de vos mouvements.

L'objectif d'adopter une bonne posture est évidemment de rectifier l'axe vertical du corps souvent compromis. **Afin d'appuyer le travail que vous avez entrepris, vous allez mettre votre imagination à contribution.** En imaginant la position verticale, le cerveau perçoit cette image et il peut alors faire appel à toutes les ressources nécessaires, muscles posturaux, équilibre, etc., afin que le corps puisse copier fidèlement cette image. Comme si vous dessiniez dans votre tête la position que vous voulez obtenir.

- **Imaginer la position verticale** entraine l'énergie vitale de votre corps vers le haut et autorise la colonne vertébrale à s'allonger. Vous gagnerez en taille et en prestance ;
- **Imaginer la position verticale** facilite une meilleure répartition du poids. Vous vous sentirez plus légère ;
- **Imaginer la position verticale** entraine le relâchement de tous les muscles qui ne participent pas au maintien postural. Vous vous sentirez beaucoup moins fatiguée ;
- **Imaginer la position verticale** libère de l'espace dans les articulations. Vous gagnerez en agilité et en souplesse ;
- **Imaginer la position verticale** décongestionne les organes situés dans l'abdomen, ce qui facilitera leur bon fonctionnement ;
- **Imaginer la position verticale** engendre une meilleure fluidité de la respiration, ce qui activera la fluidité sanguine et haussera votre niveau d'énergie.

À chaque action, à chaque mouvement, faites appel à votre imagination et ainsi vous faciliterez votre travail et obtiendrez des résultats notables plus rapidement.

4 Adopter la bonne posture en position assise

Il est impressionnant de constater que nous passons plus de 60 % de notre vie éveillée en position assise. À la table pour manger, en voiture, à notre bureau de travail ou devant la télévision, dix ou douze heures par jour où nous sommes rarement assises correctement.

Nous avons souvent tendance à nous affaisser sur notre chaise, roulant nos épaules vers l'avant, créant une cassure sous les seins, comprimant les vertèbres cervicales alors que la tête, elle, agit comme contrepoids, projetant le menton vers l'avant. Cette position est à la fois inconfortable, inesthétique et certainement très fatigante puisqu'elle exige un savant travail de la part de notre musculature pour parer à l'effondrement de notre corps. C'est comme si, une fois assises, nous oubliions complètement que nous avions une colonne vertébrale dont la fonction principale est de nous tenir à la verticale. Nous adoptons des positions parfois rocambolesques lorsque nous nous assoyons, alors qu'il suffirait simplement de veiller, encore ici, à garder notre verticalité. (Voir chapitre 4.6)

PLEINS FEUX SUR LE BASSIN

Le bassin est formé de deux os iliaques, du sacrum et son coccyx. L'os iliaque se présente en paire et est formé de trois os soudés : l'ilion (ou aile iliaque), l'ischion et le pubis. L'ischion forme le segment osseux plus petit qui supporte le poids du corps en position assise. Pour repérer les ischions, il suffit de chercher les deux petits os émoussés tout en bas des fesses. Chez certaines personnes, ils sont assez proéminents, alors que chez d'autres ils sont bien dissimulés dans le gras de la fesse. Lorsque nous nous assoyons directement sur ces ischions, nos vertèbres lombaires s'organisent naturellement à la verticale au-dessus du sacrum, entrainant les épaules et le cou dans ce même alignement. En plaçant nos pieds en parallèle et directement sous nos genoux dans un angle de 90 degrés, nous complétons la position idéale.

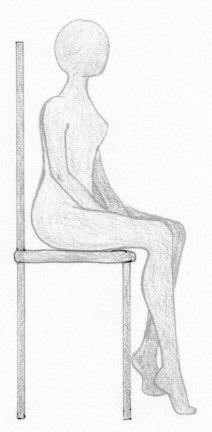

la bonne posture assise

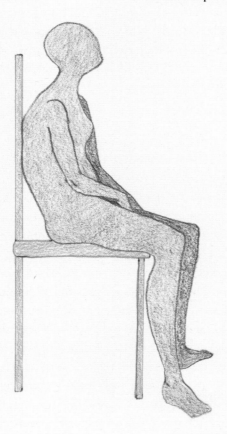

la mauvaise posture assise

Soutenir le dos ou pas

Nous avons tort de croire que si nous soutenons notre colonne vertébrale à l'aide d'un coussin placé au niveau des lombaires, nous corrigerons notre posture. Contrairement aux idées reçues, ce n'est pas tant notre colonne vertébrale qui mérite notre attention mais bien notre bassin. Si vous devez offrir un support supplémentaire à votre dos, glissez le coussin entre vous et la chaise au niveau des hanches et du bassin, et non pas au niveau des lombaires (position qui contraindrait ces dernières à s'arquer davantage).

Il serait toutefois préférable de ne plus dépendre du dossier de votre chaise pour maintenir votre dos et souhaitable d'apprendre à vous fier uniquement au soutien naturel de votre colonne vertébrale. Les muscles d'activité qui sembleront travailler de manière inhabituelle et excessive au début se feront relayer par les muscles posturaux. L'effort pour vous maintenir le dos droit sera ainsi minimisé au bout d'un certain temps.

Soulager les tensions

Au fil du temps, votre corps a malencontreusement accumulé de formidables tensions. Vous avez sollicité vos muscles de façon inconsidérée et avez peut-être même accumulé des tensions musculaires telles qu'elles vous handicapent ou, du moins, réduisent votre mobilité.

Les tensions les plus fréquentes dont nous souffrons le plus souvent sont situées dans les épaules, les trapèzes, le cou, le bas du dos, le bassin, les mâchoires et les mains. Nous les détectons facilement, car elles causent des douleurs intenses : ce sont ces fameux «nœuds» limitant les mouvements et offrant en prime des épisodes indésirables de céphalées ou même d'insomnie. S'ajoutent à cela des raideurs supplémentaires, dues à un entrainement physique inadapté, qui encourage le travail en force muni de poids lourds. Il peut s'agir également de raideurs qui apparaissent lorsque nous tombons dans l'inactivité ankylosante. Nous sommes assurées de devoir recourir aux services d'un massothérapeute, chiropracticien ou ostéopathe, qui, nous l'espérons, pourra nous soulager ne serait-ce que de manière ponctuelle. Ou, pire encore, nous en arrivons à dépendre de médicaments qui promettent d'effacer ou d'engourdir nos maux. Ces tensions réapparaitront aussitôt si nous omettons d'apporter les correctifs nécessaires afin de changer notre approche et la manière de traiter notre pauvre corps.

La première chose à faire, nous l'avons vu, est de corriger, bien évidemment, notre posture et de respecter l'axe vertical du corps afin de libérer le stress inutile auprès de tous les muscles qui ne participent pas à notre maintien. Vous éliminerez de la sorte de nombreuses tensions dans ces muscles, car ils ne seront plus autant sollicités.

Prenons conscience ici du réflexe naturel que nous avons de «serrer» nos muscles. Dès que nous faisons face à un stress, à une crainte, à une angoisse ou à une inquiétude, notre corps réagit violemment et se contracte. Il se ferme sur lui-même, se bloque. Et, pour reprendre une expression populaire, il semble alors être *pris dans un pain* !

Si nous mesurions les épaules avant et après une telle réaction, nous pourrions sans doute constater une différence significative dans leur largeur. Ces contractions entraînent des raideurs importantes dans les mouvements, diminuent la mobilité et peuvent même nous priver de notre agilité. Si encore, aussitôt le stress passé, nous arrivions à sortir de cet étau que nous créons… mais, chez la plupart des gens, les tensions s'installent, s'accumulent et empirent avec le temps.

Une des solutions pour corriger le problème est, bien évidemment, les exercices d'assouplissement et d'étirement. Mais ici encore, ces exercices vont agir comme un baume et soulager efficacement mais temporairement ces tensions. Comment pouvons-nous éviter l'accumulation de ces tensions ?

CRÉER DE L'ESPACE

À partir du moment où vous ne déployez plus d'efforts musculaires inutiles pour soutenir votre corps à la verticale, vous devriez être en mesure d'effectuer librement tout mouvement avec votre tête, votre taille, vos jambes et vos bras sans aucune contrainte et éviter par la même occasion de provoquer des tensions.

Je reprends ici l'image de la position du petit soldat. Lorsque nous projetons nos épaules vers l'arrière dans le but de nous tenir droites, nous crispons nos muscles, nous installons une zone de tension dans les omoplates et nous raccourcissons, par la même occasion, l'amplitude du mouvement. Essayez de lever vos bras dans cette position… le mouvement sera très limité.

ENCOMBREMENT

Nous pourrions comparer votre corps, victime de tensions, à un grenier encombré. Vous avez du mal à circuler dans ce grenier rempli de tous vos souvenirs. Les allées sont sinueuses, parsemées d'obstacles et où il est difficile de vous pencher, de vous tourner ou de soulever cette boite qui éveille votre curiosité. Vous êtes captive dans un espace trop restreint et votre mobilité l'est tout autant. Vos articulations sont comme ces allées. Plus elles sont comprimées et emprisonnées par les tensions, plus le mouvement est restreint. Il faut donc dégager de l'espace dans ces « allées » afin de mieux vous déplacer et bouger.

> « *Comment, diable, puis-je faire de l'espace dans mes articulations ?* » me demanderez-vous.

Dans la section : *Principes de la verticalité,* vous avez suivi la liste des actions à entreprendre pour adopter une bonne posture. À quelques reprises dans cette démarche, je vous invite à faire de l'espace dans vos articulations en imaginant que vous écartez ou séparez les points d'attache situés au creux de ces articulations. Cela peut sembler étrange ou abstrait, et, dans l'absolu, ce l'est sans aucun doute.

Ce qu'il faut cependant retenir de cette consigne est que :

- En imaginant ce nouvel espace dans vos articulations, vous allez véritablement le créer, aussi petit soit-il ;
- À partir du moment où cet espace existe, vous sentirez soudainement un relâchement des tensions souvent concentrées dans ces parties du corps ;
- En desserrant la contraction, en relâchant la pression, l'espace permet aux muscles, tendons et ligaments de « respirer ».

Voici un exemple : prenez votre index gauche dans votre main droite et serrez-le aussi fort que vous le pouvez. Essayez de bouger votre index ainsi comprimé en maintenant la pression de la main droite autour de l'index. Vous constaterez que la mobilité de ce doigt est presque réduite à zéro et que la compression amène même un ralentissement de votre circulation sanguine. Maintenant, conservez votre doigt dans votre main mais cette fois-ci, relâchez votre prise et laissez un peu d'espace autour du doigt. N'est-il pas plus facile de bouger le doigt ? Vous pouvez le tourner, faire des allées et venues dans votre main, et même le plier légèrement. Il n'y a plus de pression et votre doigt retrouve une toute nouvelle liberté.

Le même principe s'applique à vos articulations. À l'instant où vous dégagerez de l'espace dans vos articulations, vos mouvements trouveront plus d'amplitude, de souplesse et de coordination. Si vous êtes tendue, figée en un seul bloc, votre mobilité sera nécessairement limitée. Les mouvements des bras, des jambes et même de la tête seront sans envergure, rigides et certainement dépourvus de féminité.

À partir du moment où vous vous débarrasserez de toutes les pressions, stress et contractions, il vous sera possible d'ajouter de la grâce dans vos mouvements. Ceux-ci ne seront plus uniquement de simples motions, mais ils se transformeront en une forme de langage corporel qui vous sera propre et qui permettra de vous révéler. Ainsi se créera l'originalité de votre gestuelle.

5 La respiration

La respiration est bel et bien le signe de vie le plus évident. De la naissance jusqu'à la mort, l'air circule dans les poumons sans que vous ayez à fournir d'efforts particuliers.

En observant un jeune enfant, vous remarquerez que son abdomen se gonfle et se dégonfle à chacune des inspirations / expirations alors qu'un adulte aura tendance, bien au contraire, à contracter ses muscles abdominaux, forçant la cage thoracique à se soulever pendant l'inspiration et à s'affaisser à l'expiration. Les adultes respirent bien mal et sont peu conscients des effets négatifs que ceux-ci peuvent avoir sur le bien-être. L'inspiration confinée à la partie supérieure de la poitrine, écourtée et nécessairement plus rapide, laisse peu de place au mouvement du diaphragme et à une entrée d'air généreuse ou à la libre circulation de l'énergie vitale.

Respirer n'est pas inspirer

Le diaphragme est un muscle de nature à la fois musculaire et fibreuse qui ressemble à une coupole. Il sépare et unit en même temps le thorax et l'abdomen. Il est attaché au sternum, aux côtes et à la colonne lombaire. En position debout, à l'inspiration, le diaphragme se contracte et descend. Il entraîne alors la base des poumons vers le bas, contracte les viscères abdominaux, élève et écarte les côtes. À l'expiration, le diaphragme remonte. Contrairement aux idées reçues, **c'est l'exhalation qui contrôle la respiration**.

En expulsant l'air et en contractant le diaphragme, il se crée une sorte d'effet de succion dans les poumons qui force naturellement la prochaine bouffée d'air à pénétrer sans effort. Les tensions physiques et psychiques (les pensées et les émotions) influencent considérablement le bon fonctionnement du diaphragme dans sa liberté de mouvement, entraînant raideurs, rétractions musculaires, mauvaises postures et traumatismes. Il faut donc repenser notre manière de respirer alors que nous mettons, à tort, l'accent sur l'inspiration.

Tout d'abord, il faut créer un passage pour que l'air puisse circuler librement. Je fais rigoler mes étudiantes lorsque je leur dis en classe de laisser entrer l'air par l'anus, dégager un passage le long de la colonne vertébrale, laisser l'air remplir tout l'abdomen, prolonger le chemin le long des cervicales jusqu'au-dessus du crâne ! Ce n'est qu'une image, bien entendu, mais en la projetant dans votre tête, vous prendrez d'abord conscience de votre respiration et vous serez en mesure d'inspirer et d'expirer plus lentement et plus profondément, tout en favorisant un bon alignement de votre colonne vertébrale.

L'objectif est que l'oxygène et l'énergie vitale circulent sans obstacle ou sans interruption tout le long de votre colonne vertébrale. La fameuse verticalité prend ici tout son sens. Plus vous serez alignée, plus l'air circulera aisément et sans effort.

La respiration ne doit donc pas être confinée dans la partie supérieure du corps. L'abdomen doit rester souple, libérant les organes internes autrement comprimés. Alors oubliez ce que tous vos vieux professeurs vous ont dit jusqu'à présent et ne contractez pas vos muscles abdominaux dans l'espoir de voir votre petit bedon disparaitre.

Laissez faire la coquetterie. Si vous vous tenez bien droite, votre ventre légèrement gonflé sera à peine perceptible. Si vous constatez que votre ventre est volumineux, ce n'est pas en comprimant vos organes internes et en mobilisant votre musculature abdominale pendant la respiration que vous arriverez à vous en débarrasser. Il faudra vous attaquer au phénomène d'une tout autre manière. Comme nous l'avons vu précédemment, pensez plutôt à éloigner vos côtes et votre cage thoracique de vos hanches afin de créer de l'espace dans la région du ventre. Cela permettra de remettre en place quelques organes trop tassés et de corriger naturellement vos ballonnements.

Exercice
- Debout, pieds parallèles, bras le long du corps, tête légère au-dessus des cervicales, relâchez vos mâchoires et ouvrez légèrement votre bouche (attention de ne pas casser votre cou vers l'arrière) ;
- Inspirez par le nez ;
- Expirez l'air par la bouche, tout en laissant le son *Ah…* accompagner l'expulsion jusqu'au bout ;
- Attendez jusqu'à ce que vous sentiez le besoin d'un apport d'air ;
- Relâchez tout, tout, tout ;
- Laissez naturellement entrer l'air par le nez sans forcer l'inspiration. L'inspiration sera soudaine, courte et rapide ;
- Vous aurez l'impression qu'un ballon s'est instantanément gonflé dans votre ventre !

Vous devez prendre conscience de votre respiration. Ralentir le rythme des inspirations / expirations et augmenter le volume d'oxygène qui circule. En pratiquant l'exercice, vous reprogrammerez votre manière de respirer et vous profiterez d'une énergie accrue !

Mon conseil : Faites cet exercice au coucher alors que vous cherchez à vous endormir. Cette position est propice au calme et à l'écoute de sa respiration.

L'EXPIRATION DANS L'EFFORT

Lorsque vous déployez un effort considérable, tel que déplacer un meuble, soulever une boite ou simplement sortir de la voiture, ne bloquez jamais votre respiration.

Souvenez-vous toujours : on **expire** pendant l'effort et, contrairement à votre habitude, on ne retient pas son souffle ! Retenir son souffle empêche l'oxygène de se rendre aux muscles justement sollicités. En faisant cette coupure, vous créez immédiatement des tensions qui seront d'autant plus exacerbées lors de l'effort. Respirez !

LA RESPIRATION EN TALONS HAUTS

Marcher en talons hauts est très exigeant. Afficher une démarche souple et gracieuse alors que vous avez le souffle coupé ou saccadé n'aidera en rien votre cause. Respirer lentement et profondément vous aidera à détendre vos points de tension. En ralentissant le rythme de votre respiration, vous serez plus encline à modérer votre cadence, ce qui vous permettra d'allonger votre foulée et d'accentuer votre déhanchement. Vous gagnerez en assurance et l'effet que vous provoquerez sera d'autant plus frappant.

Vous ne verrez jamais une femme fatale courir comme une chinoise aux pieds bandés ou haleter comme un petit animal... Alors, mesdames, suivez l'exemple des expertes et respirez profondément.

la mule compensée

COMMENT PORTER LES TALONS HAUTS

« *Marchez doucement car vous marchez sur mes rêves.* »

WILLIAM BUTLER YEATS

1 La réflexion : l'amie des talons

Nous bougeons, nous marchons, nous accomplissons une multitude de tâches dans notre quotidien sans jamais vraiment réfléchir à ce que nous faisons. Instinctivement et naturellement, notre corps obéit aux commandes sans imposer de délai significatif entre le stimulus cérébral et la réponse physique à ce stimulus. **La commande est concomitante à l'action.** Notre corps obéit automatiquement à l'instant où il connait ou reconnait la commande qui lui est envoyée par le cerveau et à partir du moment où il a la capacité d'exécuter ce qu'on lui demande.

Par contre, si nous faisons face à une nouveauté, à un paramètre inconnu, le cerveau devra d'abord prendre connaissance de la situation puis analyser ce qu'on lui demande afin d'envoyer au corps les bonnes instructions pour que ce dernier réalise l'action voulue.

Nous devons donc parfois conjuguer notions « acquises » et notions « nouvelles ».

Exemple : Prenons une situation où vous souhaitez vous lever de votre chaise de bureau. Dans la plupart des cas, vous n'aurez pas à penser à l'action que vous allez devoir exécuter et vous vous lèverez tout simplement.

Imaginons maintenant une situation où vous êtes chaussée de talons hauts et souhaitez vous lever d'un tabouret instable, alors que le sol inégal est recouvert de gravier. Votre cerveau devra enregistrer les paramètres de la situation, en évaluer les risques pour ensuite envoyer au corps les instructions adéquates afin que vous puissiez descendre du tabouret sans vous blesser.

Ce court instant de réflexion permet au système locomoteur de s'organiser, diminuant ainsi le stress et la tension des muscles ou groupes de muscles qui, autrement, travailleraient inutilement. En imaginant préalablement l'action, vous minimisez donc l'effort et le risque. Vous canalisez l'énergie nécessaire au seul mouvement effectué, entrainant, par ce fait même, les systèmes nerveux et musculaire auxiliaire ainsi que le système respiratoire à se calmer. Le mouvement s'exécutera plus librement et avec davantage de souplesse.

> *« Notre corps porte la connaissance de la vie qui nous anime et il en est l'expression la plus objective. Nous sommes de la conscience incarnée : notre corps dans ses formes, ses mouvements, ses expressions, est la manifestation concrète, dynamique, en perpétuel changement, de la conscience.*
>
> *Écouter le corps, c'est se mettre en relation avec deux niveaux concomitants : sa vitalité fondamentale, son essence, son innocence fondamentale ; les inhibitions et blocages issus des traumatismes que nous avons vécus.*
>
> *Le corps porte la mémoire de tout ce qu'il a vécu. Son expression actuelle, à chaque instant, tant aux niveaux physique que psychique et énergétique, est la résultante du dialogue entre son histoire et sa vitalité fondamentale. Porter l'attention sur la sensation corporelle, c'est tout d'abord rentrer en relation avec les sensations physiques, issues du milieu extérieur par le biais des organes des sens, ou au sein de notre corps (mouvements physiques, physiologiques, douleurs, etc.). C'est aussi percevoir les sensations associées aux mouvements psychiques et émotionnels [11]. »*

La plupart du temps, nous n'avons pas à réfléchir aux gestes de notre corps. Ce qu'on oublie, par contre, c'est que chaque mouvement que nous faisons sans réfléchir peut avoir des conséquences désastreuses. Si notre merveilleuse machine corporelle n'est pas bien programmée, huilée et bien ajustée, elle est susceptible de subir quelques fracas. Vous avez sans doute été victime, une fois dans votre vie, de l'un de ces fameux «tours de rein». Sans raison apparente, l'action dans laquelle vous vous étiez engagée n'a pu être effectuée normalement. Comme si votre cerveau était tombé en panne à cet instant précis, abandonnant, par la même occasion, les commandes. Votre corps, laissé à lui-même devant une situation inhabituelle et ne sachant pas réagir correctement, a été alors soumis à un stress immédiat, augmentant fortement les tensions musculaires et provoquant la blessure.

Exemple : Vous marchez nonchalamment dans la rue et votre pied, chaussé de merveilleux talons hauts, se pose inopinément sur un caillou, causant un déséquilibre tout aussi soudain qu'inattendu. Vous avez le réflexe de rétablir

---

11.   Kalifa, Pierre. www.vers-la-source-du-mouvement.fr

votre équilibre et parvenez ainsi à ne pas tomber de vos échasses. Malheureusement, dans l'urgence de ne pas perdre votre équilibre, vous avez fait un faux mouvement, ou un mouvement irréfléchi, qui se sera répercuté sur votre cheville non préparée : c'est la foulure à la cheville. Une chose est certaine : nous réfléchissons rarement à ce que nous faisons et encore moins aux mouvements banals de notre quotidien.

> *Pourquoi prendrais-je ce temps, aussi petit soit-il, pour faire une action aussi simple que me lever, m'asseoir ou marcher ? Comme si je n'avais rien d'autre à faire ou si j'avais le temps de penser avant de faire ceci ou cela ?*

Dans ces conditions, il n'est donc pas surprenant de voir des femmes tituber maladroitement, trébucher ou se tordre la cheville. Être juchée sur des hauteurs parfois spectaculaires exige que vous preniez certaines précautions. Le port de talons hauts est une activité très exigeante et souvent périlleuse. Il est donc nécessaire d'être vigilante et de prendre un tout petit moment pour réfléchir avant de passer à l'action.

RÉFLÉCHIR, C'EST SEXY

Le dicton le dit bien : *une femme avertie en vaut deux* ! Alors, mesdames, prenez vos précautions en permettant à votre cerveau d'analyser ce qui se passe autour de vous :

- Premièrement, le fait de prendre ce court instant va immédiatement vous permettre de vous familiariser avec votre environnement et vous éviter sans aucun doute quelques bavures ;
- Deuxièmement, cette pause qui précède l'action est terriblement sexy ! Elle s'inscrit comme un point de suspension… un peu mystérieux. En imposant ce temps d'arrêt, vous prendrez totalement le contrôle de la situation et de l'espace immédiat vous entourant. N'ayez crainte, personne ne vous poussera dans le dos ! Sauf peut-être si vous vous retrouvez dans une alerte d'incendie. Alors, respirez profondément !
  En talons hauts, la grâce bannit l'urgence et exige un rythme ralenti.

Un peu à l'image d'un étalon avant de faire le saut d'obstacle, vous allez «grouper» votre allure, vous pauser et vous situer dans l'espace et dans le temps en effectuant le repérage.

L'ENVIRONNEMENT

Quel revêtement du sol devrez-vous affronter : marbre glissant, carrelage texturé, bois bien huilé, tapis épais, chaussée mouillée, gazon, gravier, pavés, sable ? Y a-t-il des obstacles en vue : chantier de construction, escalier, dénivellement, trottoir inégal, grillage, escalier roulant ?

RESSOURCES

- Puis-je compter sur un bon Samaritain et son bras solide comme appui ou suis-je livrée à moi-même ?
- L'escalier est-il doté d'une main courante ?
- Y a-t-il des endroits où je pourrais me poser ou m'agripper en cas de besoin ?
- Devrai-je marcher trois kilomètres pour arriver à destination ou serai-je déposée ou recueillie par un chauffeur bienveillant ?

Reconnaitre votre environnement et vos ressources vous permettra d'abord de repérer les dangers potentiels. Votre cerveau enregistrera ensuite les données pour les envoyer à votre corps afin que vous puissiez faire face à la situation qui se présente dans les meilleures conditions possibles.
À partir de cet instant, vous trouverez une assurance nouvelle et vous pourrez vous mouvoir plus librement. Ainsi, vous pourrez ajouter à votre répertoire des mouvements qui exprimeront votre personnalité et votre féminité : petits coups de hanche, jambes qui se croisent, bras qui ondulent sans jamais craindre de trébucher ou de casser vos talons. Vous serez cette femme confiante en pleine possession de ses moyens qui fera à son tour tourner les têtes !

2 Apprendre à marcher

La marche en dit long sur la personnalité d'une femme! La liberté de ses mouvements ou l'inhibition qui les restreint sont très révélateurs.

Son pas assuré traduit la confiance qu'elle a en elle-même ou, s'il est effacé, indiquera sa timidité. La foulée dévoile ses humeurs, voire même ses états d'âme! Regarder une femme déambuler dans la rue permet de déceler assez facilement si celle que l'on croise est sensuelle ou pas, si elle est féminine ou pas et, dans une certaine mesure, si elle est de nature sexuelle rien qu'en observant son déhanchement.

Généralement, nous marchons du point A au point B sans avoir à réfléchir ou à déployer d'efforts particuliers. Que nous soyons pieds nus ou chaussées de souliers plats, de baskets ou de petits talons, la démarche est simple, sans embûche et pose rarement problème. Mais dès que nous chaussons des talons hauts, poser un pied devant l'autre devient un acte réfléchi qui relève parfois de l'exploit et, dans tous les cas, requiert une attention particulière!
Pour une femme qui affiche des aptitudes naturelles à porter les talons hauts, combien y en a-t-il qui éprouvent de réelles difficultés à marcher juchées sur leurs trois, six ou douze centimètres? Elles ne marchent pas! Elles trottinent, titubent, chancellent et s'agrippent à tout ce qui leur passe sous la main. L'allure est dépourvue de tout charme, de féminité ou de sex-appeal.

Pourquoi est-il si difficile de marcher en talons hauts?

Nous l'avons vu plus tôt, la difficulté de marcher en talons hauts réside principalement dans notre incapacité à maintenir l'équilibre. Aussitôt les chaussures aux pieds, notre centre de gravité qui se voit basculer vers l'avant provoque le désalignement de notre corps, rompant ainsi la verticalité naturelle. Se tenir solidement debout est essentiel pour porter les talons hauts et doit absolument être maitrisé avant même de penser faire un pas en avant.

Si vous avez bien suivi mes conseils sur *comment se tenir droite*, vous êtes fin prête à apprendre comment marcher avec grâce !

Tout d'abord, comme pour chaque mouvement que vous décidez d'exécuter, il vous faut réfléchir à ce que vous allez faire. Rappelez-vous : **L'intention précède l'action.**

Premièrement : **La pensée.** C'est elle qui dirige, c'est elle qui initie le mouvement, c'est elle qui détermine la direction et l'endroit où vous voulez aller.

Deuxièmement : **Le repérage.** Connaitre l'environnement dans lequel vous évoluerez permet à votre cerveau d'envoyer à votre corps les directives appropriées. Vous adapterez instinctivement votre façon de marcher aux contraintes qui vous entourent.

Troisièmement : **Le regard** est bien droit devant et dans la direction où vous vous dirigez. Vous avez fait le repérage, laissez maintenant le sol tranquille. Il ne s'y passe rien d'intéressant. Baisser les yeux perturbe l'axe vertical de votre corps qui se trouve dès lors en déséquilibre et vous donne une mine piteuse. Alors, mesdames, ayez le regard fier et droit. Et, de grâce, lâchez votre téléphone cellulaire !

Quatrièmement : **La verticalité.** Vous connaissez le principe. Maintenant il est temps de l'appliquer.

Cinquièmement : La respiration. N'oubliez pas de respirer !

3 La marche

a La présentation du pied

Vous venez de chausser vos plus belles chaussures ? Vous voulez qu'on les remarque, n'est-ce pas ? Sachez que la chaussure attire autant l'attention que la manière dont vous la présentez. Les angles sont flatteurs et avantagent l'esthétisme du corps.

a   la présentation
      du pied

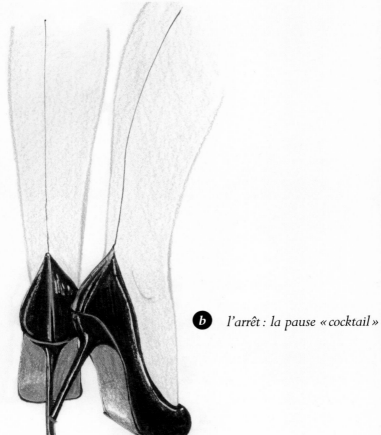

b   l'arrêt : la pause « cocktail »

- Tournez légèrement la cuisse vers l'extérieur afin de présenter la face intérieure du soulier. (Pour celles qui ont déjà fait de la danse, c'est un mouvement qui vous sera familier);
- Pointer et présenter la face interne du pied allonge la jambe et permet déjà d'entrevoir l'arche du pied ainsi que le talon de la chaussure, ce qui est franchement très joli.

On avance !

- Étirez et avancez la jambe légèrement ouverte, bien devant vous, dans un mouvement lent et assuré.
- Pensez à poser la plante du pied au sol en premier. *Attention:* naturellement, le talon touchera le sol une fraction de seconde plus tôt, mais puisque votre attention sera portée sur la plante du pied, vous éviterez premièrement de poser tout votre poids sur votre précieux talon en risquant de le casser et deuxièmement vous éviterez ce bruit trop évident de claquement.
- Aussitôt le pied posé au sol, recentrez votre poids en vous repositionnant bien d'aplomb sur l'ensemble du pied qui est au sol afin de permettre à l'axe du corps de retrouver sa verticalité. **Votre poids doit revenir complètement au-dessus de la jambe de soutien à chaque pas, ni devant ni derrière mais bien centré.**
- Pensez toujours à allonger votre silhouette vers le haut, à la verticale. Ce mouvement vous donnera l'impression d'être grande et légère.
- Le deuxième pied quitte le sol, frôle la cheville de la jambe de soutien, puis pointe ici encore légèrement en ouverture, avant de se poser à son tour sur le sol, devant vous.
- Entre chaque pas, revenez à la position initiale, c'est-à-dire à une verticalité parfaite: le bassin au-dessus des genoux, gardez à l'esprit la ligne verticale qui traverse votre corps, du coccyx en passant par la colonne vertébrale vers le dessus de votre tête.

- Imaginez qu'une main est posée sur le bas de votre dos et vous pousse doucement vers l'avant. Cela vous aidera à créer une belle dynamique dans votre démarche, de bien allonger la jambe et ne pas «trainer» sur vos talons.
- Gardez la tête souple sur le dessus de vos cervicales en tout temps et le regard droit devant.

À éviter : Oubliez ces histoires rocambolesques de marcher sur une ligne droite comme le ferait un funambule. À moins d'être excessivement mince et d'avoir les cuisses creuses, il est presque impossible de réussir cette opération. Imaginez plutôt deux lignes parallèles et très rapprochées. Votre pas sera plus naturel tout en préservant cette illusion de délicatesse recherchée.

Catwalk ou pas ?

Inutile de chercher à imiter les Anges de Victoria's Secret! Ces femmes sont dotées de jambes qui frôlent les deux kilomètres de long. Elles sont entraînées comme des athlètes de haut niveau et elles défilent sur le tapis à une vitesse totalement exagérée, ce qui leur permet d'exécuter des foulées dignes du Chat Botté. De plus, elles s'activent sur une surface à l'adhérence idéale, qui est parfaitement plane et exempte de tout obstacle. Rien ici ne me parait être une situation «normale» correspondant à votre quotidien. Les mannequins qui déambulent dans les défilés de mode adoptent cette démarche très particulière qui ne convient à aucune situation en dehors de ces évènements professionnels. Marcher avec une telle foulée de jambes, les pieds souvent pointés vers l'intérieur et sur une parfaite ligne droite tout en exagérant le déhanchement à outrance sert uniquement à montrer la fluidité des vêtements tout en donnant une allure fragile à celles qui les portent.

Dans la vie de tous les jours, je vous vois mal vous balader de la sorte dans la rue. Premièrement, vous ne pourriez faire deux cent mètres sans vous prendre les pieds dans un obstacle qui ralentirait immédiatement votre cadence. Deuxièmement, il n'est ni naturel ni conseillé de soumettre votre corps à un tel stress.

La longueur maximale pour étendre sa jambe vers l'avant pendant la marche est celle de la longueur de la jambe elle-même, alors qu'elle est tendue devant vous et que votre bassin est bien aligné avec la colonne vertébrale. Si vous désirez emboiter un pas plus long que la longueur de votre jambe, vous devez nécessairement engager une marche beaucoup plus rapide et dynamique afin d'exécuter ce long mouvement avec fluidité.

Precipitevolissimevolmente...

Talons hauts et lenteur sont a priori des alliés incontournables! Vos escarpins de dix ou douze centimètres ne sont adaptés ni à la course à obstacles ni au sprint! Il est inutile d'essayer d'attraper un taxi au vol ou de combler votre retard à un évènement en pulvérisant le record du cent mètres! Vous n'y arriverez probablement pas et vous risqueriez par contre d'abimer vos talons, de vous fouler la cheville ou même de vous disloquer le genou. À moins de participer à la course en talons hauts au profit de la Société canadienne du cancer, l'urgence doit être bannie désormais de vos activités dès l'instant où vous chaussez vos talons hauts!

Un pas rapide ou expéditif n'a rien de très charmant. Le rythme forcé et saccadé de la démarche annule l'ondulation suave du bassin. Les jambes soudainement raidies et asséchées évoquent davantage les pattes d'une poulette alors que le buste arrogant, projeté vers l'avant, confirme votre nouvelle appartenance à la famille des gallinacés! Il ne manque que les caqueteries et les gloussements sans fin pour devenir la parfaite garniture de table des fêtes de l'Action de grâce.

Alors, mesdames, prenez une grande respiration et déambulez… doucement, cela démontre toute votre assurance.

Les bras

Effacez tout de suite l'image des militaires balançant leurs bras raidis à l'unisson. Cette démarche n'est ni élégante, ni féminine. Pensez à vos bras comme à la mousseline d'une robe. Ils doivent être souples, légers et bouger librement au rythme de vos pas. Ils accompagnent et accentuent le déhanchement. Si vous mettez bien en pratique les consignes du chapitre sur la posture (eh oui, encore celle-là), vous avez dégagé de l'espace dans les articulations de vos épaules. Les bras sont dorénavant libres de bouger sans contraintes majeures.

- Détendez vos trapèzes et allongez le cou en libérant la tête ;
- Dirigez les doigts de votre main en diagonale vers la cuisse opposée. Le mouvement des bras dessinera une forme ressemblant au signe de l'infini. Cela apporte de la rondeur au mouvement, une touche de féminité et se marie parfaitement bien au mouvement des hanches ;
- N'oubliez pas de desserrer vos poings. Vos doigts doivent être longs et souples. Vous pouvez même pousser un peu l'exercice et rapprocher légèrement les pouces des majeurs, un peu comme les ballerines. C'est très joli et encore ici très féminin.

b L'arrêt ou la pause Cocktail

L'immobilisation peut être difficile en talons hauts, car il faut savoir retenir l'élan, maitriser l'oscillation du corps et maintenir l'équilibre en exécutant le tout sur une très petite surface de contact (pensons aux talons aiguilles). Lorsque vous achevez votre marche et que vous vous immobilisez, pensez à ceci :

- Regroupez immédiatement vos pieds sous votre bassin tout en allongeant votre silhouette vers le haut comme si vous vous transformiez soudainement en point d'exclamation. L'effet de tangage devrait cesser aussitôt.
- Suspendez le mouvement. **Vous sentirez ici l'effet du point de suspension !**
- Répartissez votre poids équitablement sur les deux pieds qui seront placés dans une position équivalente à 11 h 05 sur une horloge. Vous aurez le droit de profiler une petite coquetterie en prenant soin de ramener la pointe d'un des pieds vers la façade intérieure du pied de support. Cette position est confortable, tout en étant très stable. Elle a le mérite de présenter la jambe et le pied pointé un peu en retrait, dessinant une allure plus fragile et infiniment plus féminine. **Je nomme cette position la pause cocktail !**
- Ne bloquez pas vos genoux, ils sont la garantie d'un bon équilibre. Vous pourrez changer de pied au besoin en accompagnant le transfert

de poids d'un petit déhanchement subtil et d'une expiration un peu nonchalante. Je suis prête à parier que celui qui vous suit s'arrêtera net pour contempler le spectacle.

La démarche, le chaloupage !

Ah ! cette démarche qui fait rêver... Vous vous souvenez du personnage de Jessica Rabbit, dans le film de Disney *Qui veut la peau de Roger Rabbit ?* Cette caricature magnifiquement sensuelle de la femme fatale est sans contredit passée maitre dans l'art de rouler du popotin ! Vous remarquerez la lenteur avec laquelle elle allonge la jambe, la manière dont elle pose la plante du pied au sol en présentant l'intérieur du pied, mais surtout, surtout, sa façon de jouer des hanches. Vous n'irez pas jusqu'à copier cet exemple, mais vous pouvez sans doute vous en inspirer.

Il est impossible d'être insensible à la démarche féline d'une femme. L'ondulation sinueuse de ses mouvements lents et rythmés ensorcelle la gent masculine depuis la nuit des temps. La caricature du loup qui hurle ou de l'homme perdant tous ses moyens, se fracassant la margoulette ou provoquant un accident, nous fait sourire, mais confirme à quel point la démarche représente bel et bien un des attraits sexuels les plus puissants lorsqu'elle est bien exécutée. Toute femme qui cherche à transmettre un message de sensualité prend grand soin de maitriser sa démarche.

Marcher, ça s'apprend !

Avec de la pratique, la marche s'inscrira dans vos habitudes. Vous vous rendrez compte rapidement du pouvoir de séduction qui en émane et de la sensualité qui s'en dégage. Le regard des hommes sera admiratif et celui des femmes, envieux. **La vraie séductrice** apprend à poser le pied légèrement tourné vers l'extérieur, offrant ainsi l'arche du pied au regard médusé. Elle rapproche les jambes l'une de l'autre pour en réduire l'écart. Alors que la partie supérieure du corps est droite, digne et fière, la partie inférieure est plus coquine et obéit au balancement voluptueux et subtilement exagéré des hanches et des fesses. Ajoutez à cela des talons hauts et la soudaine proéminence des fesses, l'apparence allongée des jambes et le raccourcissement obligé du pas fabriquent une image féline et définitivement sexy.

Le déhanchement est la touche finale à toute démarche féminine. Je dirais même plus, il est la signature de votre sensualité, votre marque de commerce. Mais attention ! Il n'est pas permis ici de balancer vos hanches de gauche à droite sans savoir exactement ce que vous faites ! Vous ne voulez pas tomber dans le vulgaire et vous ne désirez pas non plus causer des traumatismes aux articulations de ces précieux atouts.

NON, NON ET NON

La plupart des femmes font l'erreur de tomber dans les hanches. Autrement dit, le poids du corps est poussé, voire même forcé sur une hanche puis sur l'autre, à chaque pas, entrainant par la même occasion un stress immense sur les articulations ainsi que sur celles des genoux. Même si ce mouvement vous procure le sentiment d'être irrésistible (alors que trop souvent exagéré) et qu'il promet de faire tourner les têtes, il ne pourra pas être reproduit à répétition sans inéluctablement engendrer des douleurs.

Nous allons balancer notre bassin, soit, mais sans jamais oublier la base et la pierre angulaire de la bonne posture : la verticalité. Si vous avez bien en tête les principes que nous avons déjà vus ensemble, vous savez dorénavant maintenir le bas du dos et le bassin souples et libres sans jamais bloquer les genoux.

- Tout en amorçant une marche qui se devra d'être lente, laissez tout simplement votre bassin suivre la dynamique ondulatoire de votre mouvement. Naturellement, les hanches se balanceront facilement de gauche à droite ;
- Encore ici, dirigez votre attention et votre intention sur vos hanches et vous pourrez accentuer légèrement la motion avec prudence.

Le mouvement chaloupé sera léger, discret mais terriblement efficace ! À mesure que vous gagnerez en confiance, vous verrez que votre déhanchement gagnera en souplesse et en courbe et vous saurez jouer du popotin.

Le pas sexy

Il faut se rappeler que les petits pieds, donc les petits pas, ont toujours été une source d'excitation sexuelle. Ils évoquent la très ancienne notion de l'asservissement de la femme que l'on retrouve dans les coutumes chinoises du bandage ou l'arsenal de cordons dissimulés sous le kimono des japonaises pour retenir la foulée.

> «Depuis des siècles, on associe les petits pieds à la féminité et même à la condition sociale ou aristocratique. [...] Cela explique aussi l'influence considérable de la vogue des talons hauts, des bouts pointus et autres détails de style qui créent l'illusion du petit pied [12]. »

Encore aujourd'hui, l'idée de réduire la mobilité ou d'entraver le pas continue de faire son effet dans l'inconscient des hommes. Les femmes, tout à fait lucides de cette fascination *érotisante*, adoptent volontairement une démarche à pas raccourcis lorsqu'elles chaussent des talons vertigineux, (trompant ainsi l'œil en créant l'illusion d'un pied plus petit) ou encore lorsqu'elles s'habillent d'une jupe cigarette qui restreint toute foulée excessive.
Certaines basculent carrément dans l'excès et vont même jusqu'à acheter leurs chaussures une pointure plus petite afin de susciter l'attention et de se rapprocher de l'idéal.

Les féministes crieront sans doute et dénonceront ces moyens archaïques et barbares qui soumettent encore la femme au plaisir de l'homme tout en l'assortissant de surcroit d'une souffrance. Vous n'irez pas jusqu'à adopter ces comportements extrêmes, bien entendu. Vous êtes une femme moderne, vous portez les talons non pas par obligation ou par soumission, mais parce que vous en avez envie.

Si vous tenez absolument à opter pour une allure vraiment sexy, il faut adopter une démarche où l'écart entre les pieds est de dix centimètres ou moins. Les plus audacieuses arrivent à marcher avec un écart de sept centimètres !

---

12. *William Rossi. Érotisme du pied et de la chaussure,*
Éditions Payot & Rivage pour l'édition de Poche, Paris, 2003

Laissez la panthère agir !

S'autoriser à porter les talons hauts, c'est bien évidemment capturer ce sentiment de pouvoir qu'il nous confère, mais c'est aussi nous permettre de révéler un aspect de la féminité érotique qui sommeille en chacune de nous. Il y a ce « je ne sais quoi » qui émoustille la fibre sensible de notre féminité. Ces six, neuf ou treize centimètres ont la faculté remarquable d'éveiller la panthère endormie.

Chaque pas se présente comme une occasion de dévoiler la sensualité qui bouillonne en vous. Votre corps tout entier, précieux instrument de votre langage silencieux, vacille et ondule sous l'effet provocateur de votre croupe comme bercé par le musique secrète d'une danse lascive. Vos pieds, petits trésors adulés de tous, se parent de leurs plus beaux ornements et, avec un brin d'arrogance, s'amusent à se hisser sur des sommets étourdissants afin de dévoiler la femme confiante, la femme de tête, la séductrice ou même la vamp que vous êtes. Votre regard velouté charme, ensorcelle. Vous taisez et bâillonnez celle qui se nourrit de peurs et de craintes pour donner la parole à celle qui est prête à conquérir le monde ! Vous vous sentez libre, affranchie, toute puissante et sublime même, en parfait contrôle de votre pouvoir féminin. Vous osez même croire qu'ainsi chaussée, personne ne saurait vous résister. Et cela constitue un puissant détonateur pour votre estime de soi, tout autant qu'un outil formidable pour développer votre confiance en vous-même. Votre magnificence ainsi surélevée pourrait renverser des royaumes. Irrésistible féline, comprenez le pouvoir dont vous êtes investie, vous avez le monde à vos pieds !

Il suffit d'observer une femme dont la démarche est volontairement étudiée, conciliant à la fois assurance et fragilité, pour constater l'émoi qu'elle provoque autour d'elle : alors qu'à ses côtés, certaines deviennent aussitôt complices et comprennent au premier coup d'œil la force qui anime la belle gaillarde, d'autres aspirent à leur tour à dénicher en elles suffisamment d'assurance afin d'afficher cette même hardiesse et affirmer sans gêne toute leur féminité.

Les hommes, quant à eux, succombent impuissants devant toute femme ainsi harnachée. Car ils craquent tous, ces hommes, devant ces chaussures qui embrassent les pieds, allongent la silhouette et font basculer le bassin tout en accentuant subtilement la courbe des reins. Rien n'échappe à leur regard aiguisé qui ne manquera pas d'éveiller leur libido et transmettre aussitôt à leur imaginaire quelques scénarios érotiques. Est-ce l'apparente précarité des échasses plaçant la femme dans une position de fragilité nouvelle qui éveillerait leur instinct de prédateur ? Ou encore nourriraient-ils en cachette le fantasme de se savoir dominés par une femme puissante ?

Ou, tout simplement, la beauté d'une femme gracieuse et féminine les rendrait-elle complètement pantois ?

4 LES ESCALIERS

Les escaliers sont l'ultime compétence dans *L'Art de porter les talons hauts*. Ils sont risqués, et peu de femmes peuvent prétendre savoir dévaler les marches comme Cendrillon savait si bien le faire dans le dessin animé du même nom. Les escaliers sont le plus grand cauchemar de toutes les filles ! Pas surprenant ! Les risques de s'enfarger, de trébucher ou de tomber sont omniprésents dans nos pensées, ébranlant nécessairement la confiance dont nous avons besoin pour réussir cette opération avec panache. Monter ou descendre les escaliers avec grâce est sans contredit un grand défi. Celles qui réussissent cette aventure périlleuse fascineront leur public et mériteront tous les honneurs réservés aux grandes dames, aux expertes de ce véritable coup de théâtre !

Souvenez-vous de ces scènes classiques du cinéma des années 50 où la star du moment se présente en conquérante en haut d'un escalier majestueux alors que les yeux des admirateurs se lèvent dans l'attente exquise d'une réelle performance. Souvent vêtue d'une robe longue afin d'ajouter à la difficulté de l'épreuve, on la voit prendre un temps d'arrêt, comme pour faire entendre les roulements de tambours, avant de poser le premier pas sur la marche, créant ainsi un suspense délectable (ce fameux point de suspension…). Puis, s'élançant avec fluidité, elle arrive à faire frissonner d'émoi les spectateurs attentifs.

Descendre un escalier de façon parfaitement orchestrée est sans doute le spectacle le plus enchanteur qui soit. Et puisque nous savons que quelques marches peuvent suffire à briser le charme des plus jolies filles lorsqu'elles

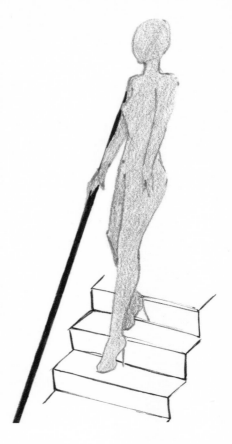

c   *la descente*

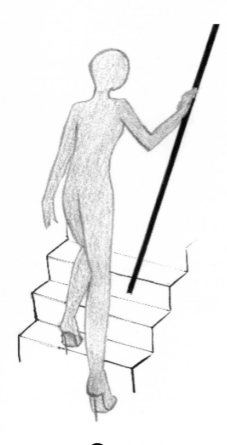

d   *la montée*

sont hésitantes et fébriles, l'enjeu mérite qu'on s'y prépare. Vous devez en faire un instant privilégié que vous savourerez! Alors, mesdames, à votre tour de faire naitre l'agitation et de créer l'exaltation.

LE REPÉRAGE

Avant de vous engager dans les escaliers, prenez un court instant pour constater ce que vous allez devoir affronter. Encore ici… réfléchissez avant d'agir!

- Y a-t-il un nombre inhabituel de marches?
- Ont-elles une surface uniforme ou présentent-elles des anomalies?
- En quel matériau sont-elles faites? Seront-elles susceptibles d'être glissantes?
- Y a-t-il une main courante sur laquelle vous appuyer? Pouvez-vous compter sur un bras solide ou uniquement sur vous-même?
- Y a-t-il de la circulation dans les deux sens?
- Privilégiez la main courante pour la descente plutôt que pour la montée si vous avez le choix.

c LA DESCENTE *(main courante à droite)*

Une fois que vous aurez visionné et repéré tous les obstacles qui se trouvent sur votre parcours, votre cerveau enregistrera les données et se préparera à affronter la descente. Levez la tête bien droite et osez! Concentrez-vous sur votre allure.

- Placez la main droite sur la main courante et positionnez-vous à une distance correspondant à la longueur de votre avant-bras. Ne vous agrippez pas comme si vous étiez désespérée. Ayez la main légère;
- S'il n'y a pas de main courante à votre portée, trouvez-vous un bras solide qui fera office de soutien ou assignez un homme qui vous précédera dans la descente afin de vous attraper en cas de chute;
- Positionnez votre corps légèrement tourné vers la droite, dans un **angle fermé** (13 h sur l'horloge). Cet angle est flatteur pour la silhouette et plus sûr que d'affronter les escaliers de plein front;

- Respirez. Ce court instant est ce fameux point de suspension qui vous annonce, qui vous présente ;
- Prenez appui et pliez la jambe droite en utilisant ici encore vos quadriceps (les exercices de musculation que nous avons vus vous seront d'une très grande utilité) ;
- On ne se penche jamais vers l'avant, vous respecterez ici encore la verticalité ;
- Déposez le pied gauche sur la première marche. On pose la totalité de la surface du pied, talon inclus, la pointe légèrement tournée vers la main courante ;
- Ensuite, posez le pied droit sur la deuxième marche et toujours dans ce même angle fermé. Vous aurez peut-être l'impression de marcher comme un crabe, mais je vous promets que l'angle adopté facilitera la descente ;
- Gardez les cuisses proches l'une contre l'autre. On évite tout écartement de jambes disgracieux. Les jambes se croiseront légèrement ;
- Laissez votre main droite guider et précéder la descente, tout en glissant sur la rampe en continu ;
- Gardez la tête haute. Si vous avez à regarder les marches, baissez discrètement et uniquement les yeux avant de redresser votre regard ;
- Évitez les rebondissements, l'effet ressort anéantit la fluidité du mouvement. Vous cher chez à descendre dans un mouvement continu et libre de tout soubresaut. Il va falloir ici faire appel sérieusement aux muscles de vos cuisses.

d LA MONTÉE

- Positionnez-vous devant les escaliers, du même côté que la main courante, si vous le pouvez. Sinon, dirigez-vous sur le côté droit de l'escalier afin de laisser les gens qui descendent vous croiser sur votre gauche (comme en conduite automobile) ;
- Placez délicatement votre main droite sur la rampe à une distance équivalente à la longueur de votre avant-bras. Ne vous agrippez pas !

- Positionnez votre corps légèrement tourné vers la droite, dans un **angle fermé** (13 h sur l'horloge) ;
- Posez le pied gauche sur la première marche. Attention, pas tout le pied, mais uniquement la semelle de la chaussure, laissant le talon dans le vide. Le talon sera maintenu sur une ligne droite et horizontale, parallèle à la marche ;
- On évite de casser la cheville en laissant tomber le talon dans le vide ;
- Transférez votre poids sur l'ensemble de la plante du pied. Redressez-vous en tendant le genou. Ici on fait appel encore aux quadriceps, ce sont ces muscles qui vous hisseront vers le haut ;
- Évitez les soubresauts. On ne se donne donc pas d'élan pour monter.
- La jambe arrière suivra le mouvement de montée avant de se poser à son tour sur la prochaine marche ;
- Gardez toujours la tête haute et le regard droit devant vous. Si vous devez regarder le haut de l'escalier, faites-le avec les yeux seulement ;
- La main qui se trouve sur la rampe ne doit être déplacée qu'un pas sur deux seulement ;
- N'oubliez pas de respirer. Les escaliers peuvent être très longs (entrées de salles de concerts, grands hôtels, musées, etc.) et vous aurez à accorder votre respiration à votre montée. Vous arriverez ainsi en haut sans être essoufflée et sans briser tout le charme.

Que ce soit pour la montée ou la descente, la lenteur est de rigueur. Non seulement est-elle sécuritaire mais elle vous donne une allure sophistiquée. Il ne sert à rien de vous précipiter. On vous attendra au bout de votre course, avec admiration et les bras grands ouverts.

Petite touche !

La montée est tout à fait propice au déhanchement. Vous pouvez accompagner votre montée d'un déhanchement subtil. Pour ce faire, vous soulèverez légèrement la hanche du pied en mouvement vers le haut avant que celui-ci ne se pose sur la marche supérieure, comme si une corde la tirait vers le plafond. Cela aura pour effet de faire basculer votre bassin et donnera une certaine rondeur à votre démarche. Attention à ceux qui vous suivent, ils pourraient être sérieusement ébranlés par la vue de ce postérieur aguichant ! Et n'est-ce pas l'effet désiré ? Ne précipitez pas l'action pour un effet plus frappant !

5 Les obstacles

Sortir de chez soi en talons hauts peut ressembler à une véritable course d'obstacles. Connaitre à l'avance le type de surface que nous réservent nos déplacements dans notre quotidien nous simplifierait bien la vie. Mais qui peut prévoir qu'après un souper en amoureux, votre prince charmant vous amènera vous balader dans de petites rues certes romantiques mais couvertes de pavés ? Que le cocktail prévu au centre-ville se poursuive en une invitation sur une terrasse entourée de gazon, ou que la discothèque choisie a décidé d'opter pour un revêtement de sol en marbre lustré très glissant ? Vous ne pouvez pas anticiper tous les obstacles, embûches ou contraintes avant chaque déplacement.

Alors, vous avez le choix :

- Vous trainez dans votre sac une ou deux paires de chaussures de rechange, ce qui en soit n'est pas idiot. Encore faut-il aimer trimballer un sac lourd et encombrant ;
- Vous vous assurez de connaitre à l'avance les surfaces que vous emprunterez lors de vos déplacements afin de choisir les chaussures les plus appropriées (requête étrange à faire à vos hôtes) ;
- Vous désignez un chauffeur qui vous conduira et vous cueillera à la porte de votre évènement. Un luxe que nous méritons toutes… mais pas toujours réaliste.

Malgré toutes les précautions prises, il se peut que vous ayez à faire face à des situations extrêmes et imprévues. Les risques de vous blesser sur les surfaces inégales, glissantes ou instables sont énormes. Marcher sur un seul petit caillou peut provoquer un déséquilibre malheureux et tout compromettre ! Les entorses aux chevilles sont fréquentes et c'est une vraie hantise pour les femmes.

Au même titre qu'écorcher ou casser ce merveilleux talon serait un désastre.

Les bêtes noires des talons hauts

En ville, à la plage ou au *Country club*, nous devons régulièrement faire face à des situations qui peuvent devenir franchement farfelues si nous sommes chaussées de talons. Quelles sont ces petites bêtes noires qui nous empoisonnent la vie ?

- Les grilles de métro ou de ventilation ;
- Le gazon ;
- Les pavés ;
- Le gravier ;
- Le sable ;
- L'asphalte (ces petits ajouts qui sont mis pour combler les fissures et qui sont toujours collants) ;
- Les trottoirs (souvent inégaux) ;
- Les patios en bois (les planches sont souvent très distancées l'une de l'autre, offrant des espaces juste assez grands pour engloutir vos talons aiguilles) ;
- Les escaliers roulants ;
- Les tapis épais et moelleux ;
- Le marbre ou le carrelage poli.

Comment gérer les bêtes noires ?

Pour répondre à cela, il va falloir ici composer avec une règle très simple : **marcher sur la pointe des pieds !** Je vous entends déjà hurler votre désarroi. Je sais, cette option n'est certainement pas idéale, mais elle reste probablement la seule qui vous sortira du pétrin dans la majorité des cas.

Devant l'obstacle

- Déplacez légèrement votre poids vers la pointe de vos pieds ;
- Basculez votre bassin afin de rectifier votre équilibre ;
- Soulevez les talons du sol et maintenez-les ainsi ;
- Engagez de petits pas… j'ai dit des petits pas !
- Ne quittez pas votre parcours des yeux ;
- Si possible, ayez un bras galant pour vous soutenir.

Vous pourrez difficilement passer toute une soirée sur la pointe des pieds. Si vos talons sont ainsi protégés, vos mollets auront vite fait de vous abandonner. Les douleurs intenses à prévoir vont provoquer des crampes qui se manifesteront sur le dessus du pied et à l'arrière du genou. Alors, dans la mesure du possible, choisissez des chaussures qui seront le mieux adaptées à votre sortie.

Exemple : Optez pour une semelle compensée lors de vos *garden-parties* ! Jolie, très stable et aucun risque que le talon s'enfonce dans le gazon.

Les surfaces glissantes

Les surfaces glissantes comme le marbre doivent être bravées d'une manière très différente. Vous chercherez ici toute la stabilité possible.

- Engagez de petits pas afin de ne pas vous retrouver en déséquilibre et vous retrouver les quatre fers en l'air ;
- Posez le pied bien à plat sur toute la surface de la semelle en prenant soin de bien répartir votre poids sur l'ensemble du pied incluant le talon ;
- Marchez lentement mais surement.

Mon conseil : Faites de petites entailles à vos semelles avec l'aide d'une clé ou frottez-les avec du papier de verre afin d'en augmenter l'adhérence au sol. Vous pouvez aussi utiliser la résine de violon ou la poudre dont les ballerines enduisent leurs pointes. Votre cordonnier peut aussi vous coller une petite semelle antidérapante.

À l'eau !

En cas de pluie diluvienne, il n'y a qu'un choix qui s'offre à vous. Fourrez vos chaussures sous votre manteau et faites le reste du chemin pieds nus ! Elles ne survivraient absolument pas à l'assaut de l'eau. Alors, inutile de penser à sauter sur un pied et sur l'autre pour éviter les flaques. Vos *Manolo* ou même ces mignonnes petites sandales que vous avez dénichées en solde et que vous aimez tant méritent bien que vous vous salissiez les petons ! Et tant pis pour ceux qui vous croiseront et se demanderont si vous n'êtes pas complètement cinglée. Mais à moins qu'ils ne vous proposent de vous racheter la même paire, ils ne seront d'aucun secours. Dites-vous que votre épopée nourrira la conversation lors de leur souper !

6 Virevolter

J'adore ce mot ! Virevolter est un mot rempli de souplesse, de légèreté et d'insouciance ! Comme une gamine qui tourne sur elle-même pour s'amuser à faire gonfler sa crinoline. C'est cette image de désinvolture que vous devez garder en tête lorsque vous vrillez, pivotez, pirouettez ou tournoyez !

Rien de plus efficace qu'un regard perçant jeté par-dessus une épaule alors que vous vous retournez. Mais le charme peut être aussitôt rompu si vous n'arrivez pas à maintenir votre équilibre et devez vous agripper à tout ce qui se présente afin d'éviter la chute.

L'important dans cet exercice est de garder en tête, encore et toujours, le principe de la verticalité. Vous allez me trouver insistante, mais le secret est là et nulle part ailleurs ! Imaginez cette ligne droite qui parcourt votre colonne vertébrale, du coccyx jusqu'au-dessus de votre tête.

La vrille vers la gauche - pied droit en appui

- Fixez votre regard droit devant vous ;
- Emboîtez le pas avec le pied droit ;
- Aussitôt le pied posé au sol, transférez immédiatement votre poids sur l'ensemble de ce pied ;
- Le talon du pied gauche se soulèvera nécessairement, mais sa pointe ne doit jamais quitter le sol. Elle sert de point d'équilibre ;
- Amorcez la vrille en tournant d'abord la tête vers la gauche ;
- Ne regardez pas le sol ;
- Amorcez la rotation du corps en pivotant le pied droit vers la droite. Le mouvement est initié avec l'extérieur du talon ;
- Simultanément, tournez le pied gauche (qui était resté pointé derrière) vers la droite en initiant le mouvement avec l'intérieur du talon ;
- Votre poids restera stable sur le pied droit mais une fois la vrille terminée, il sera transféré légèrement vers le talon ;
- Fixez votre regard sur un point droit devant vous. Cela aide à trouver l'équilibre et à mettre fin à la vrille ;

- Rapprochez le pied gauche toujours pointé (maintenant placé devant vous) vers le pied d'appui dans la position *cocktail* ;
- Centrez votre poids ;
- Pensez au point d'exclamation en allongeant votre silhouette vers le haut… eh oui, encore cette verticale !

Vous pouvez vous pratiquer à vriller ainsi plusieurs fois en changeant de direction. Faites trois pas en partant du pied droit et vrillez vers la gauche. Puis, trois pas en partant du pied gauche et vrillez vers la droite. Rapidement vous prendrez confiance, et gagnerez en souplesse et en rapidité ! Je vois d'ici l'émoi que vous causerez !

Mon conseil : Initiez la vrille en la précédant d'un mouvement de la tête qui indiquera la direction voulue. Fixez du regard ce nouveau point de repère devant vous. Il vous permettra de contrôler votre équilibre.

7 S'asseoir

Un chapitre sur l'art de s'asseoir, est-ce bien nécessaire, me demanderez-vous ? Nous nous asseyons plusieurs fois par jour sans jamais nous demander s'il y a une bonne ou une mauvaise façon de poser notre popotin sur une chaise ou un canapé. Au bureau, à la maison ou même lors d'un diner particulier, nous exécutons ce mouvement automatiquement. Nous ne prenons pas non plus une seule seconde pour réfléchir à la manière d'entrer ou de sortir d'une voiture. Ces gestes banals et anodins sont exécutés mécaniquement et ne semblent présenter aucun intérêt particulier.

Pourtant, à quand remonte la dernière fois où vous avez vu une femme provoquer une agitation par un geste élégant ? N'est-il pas absolument magnifique de voir une femme étendre délicatement sa jambe alors qu'on lui ouvre la portière de la voiture ? N'est-il pas troublant d'assister au ballet méticuleusement chorégraphié d'un croisement de genoux subtilement exécuté alors qu'une femme s'asseoit avec une nonchalance étudiée ?

Il fut un temps où l'action de s'asseoir faisait partie intégrante des traditions de la bienséance et de la galanterie. En effet, les hommes galants permettaient aux femmes de s'asseoir avec beaucoup de grâce puisqu'elles étaient délestées des préoccupations de tirer ou de pousser leur chaise lors d'un souper, par exemple. Si ces femmes ne se prévalaient pas du privilège que leur offrait leur cavalier, elles imposaient toutefois l'attention active de la gent masculine qui restait au garde-à-vous, prête à se lever afin d'honorer les allées et venues de ces dames autour de la table. Regarder une femme s'extirper seule et difficilement de son fauteuil, peinant à faire décoller son joli derrière comme si elle soulevait un poids de cent cinquante kilos, démontre que cette entreprise fastidieuse n'a rien de chic ni de féminin.

La manière de s'asseoir et de se lever d'une chaise est un élément non négligeable de l'expression de votre féminité et sachez qu'en prime, le faire correctement diminuera l'effort que vous déploierez et soulagera, par la même occasion, votre corps d'un stress inutile.

Savoir s'asseoir correctement

L'erreur la plus commune que nous retrouvons chez les femmes dans leur manière de s'asseoir convenablement est de pencher le buste vers l'avant, d'appuyer les mains sur les cuisses (ou sur la table) et de présenter le popotin à la chaise, comme le bourdon présente son dard à sa victime, tout en camouflant l'effort dans un murmure douteux. Je ne vois rien de très distingué dans cette manœuvre.

Cou cassé, agilité réduite et exposition trop évidente de son derrière et / ou de son décolleté desservent à la fois l'esthétisme et dérèglent la posture.

Alors, oui, j'insiste encore, il faut toujours revenir à l'élément essentiel de la verticalité. À chacun de vos mouvements, de vos déplacements ou dans votre démarche, vous devez sentir cette ligne verticale qui traverse votre colonne vertébrale jusqu'au-dessus de votre crâne. En gardant cette image en tête, vous éviterez le plus souvent possible les torsions, les cassures, les compressions et les effets néfastes qui peuvent en découler. Et, franchement, vous aurez tellement plus belle allure ! (Voir page 92)

S'ASSEOIR SUR UNE CHAISE

- Approchez-vous de la chaise ;
- Posez le bout des doigts sur le dossier afin d'en vérifier la stabilité ;
- Positionnez-vous devant la chaise afin de frôler le rebord du siège avec l'arrière de vos genoux ou mollets ;
- Collez vos cuisses l'une contre l'autre ;
- Glissez délicatement la pointe de votre pied sous la chaise (si votre interlocuteur est à votre gauche, glissez le pied droit ; inversement, s'il est à votre droite, glissez le pied gauche sous la chaise) ;
- Tournez légèrement votre corps dans la direction opposée à ce pied et vers votre interlocuteur ;
- Pliez les genoux et descendez lentement et verticalement vers la position assise ;
- Si vous n'avez pas pu vous asseoir confortablement au fond de la chaise, appuyez délicatement vos mains de part et d'autre de vos cuisses, soulevez-vous légèrement et ramenez la chaise vers vous (si vous êtes attablée) ou reculez votre bassin afin de vous caler contre le dossier (attention de ne pas briser le charme en penchant la poitrine vers vos cuisses) ;
- Si vous êtes assise à une table à diner, vous ne devriez pas appuyer votre dos contre le dossier mais le laisser libre et droit ;
- Croisez vos chevilles tout en gardant vos genoux rapprochés ;
- Si vous souhaitez croiser les jambes, prenez soin d'exécuter le croisement tout en gardant vos cuisses bien serrées l'une contre l'autre ; Il est possible d'ajouter un léger mouvement de la hanche vers le haut afin d'intégrer une touche de *sex-appeal* au mouvement ;
- Si vous êtes à la vue de tous, posez au moins une main à la bordure de votre jupe si elle est courte afin d'éviter que les regards soient attirés par votre petite culotte.

SE RELEVER

Si vous êtes bien calée au fond de la chaise, vous ne pourrez pas vous soulever directement. Nous allons donc entreprendre les mouvements à l'inverse :

- Reculez la pointe de votre pied sous la chaise (ou sur le côté) ;
- Posez vos mains de part et d'autre de vos cuisses ;
- Soulevez-vous juste ce qu'il faut pour vous avancer sur le bord de la chaise (en étant la plus discrète possible) ;
- Ne reculez pas la chaise, sauf si vous êtes assise à la table ;
- Tout en pensant **verticalité**, regardez dans la direction où vous allez vous diriger ;
- Allongez votre cou, détendez vos épaules ;
- Poussez sur la pointe du pied qui est sous la chaise ;
- Prenez bien votre aplomb sur l'autre pied ;
- Levez-vous en utilisant vos quadriceps (je vous assure que vos exercices de musculation vous serviront ici encore) en expirant ;
- Regardez devant vous.

Ça y est ! Vous êtes debout, droite, légère et souriante !

S'ASSEOIR EN VOITURE

Entrer et sortir d'une voiture n'est pas tâche facile ! L'espace de l'habitacle est très restreint et, dans certains modèles, l'assise se situe très près du sol. Vous ne désirez certainement pas que l'on découvre la couleur de votre petite culotte ! Il va falloir vous montrer moins négligente que ces vedettes photographiées par des paparazzis avides de potins.

Ici encore, si vous avez l'option de recourir aux services d'un homme galant, je vous invite fortement à en profiter ! Si tel est le cas, monsieur va adopter un rôle de soutien uniquement.

SORTIR DU SIÈGE DU PASSAGER
AVEC UN CAVALIER

- La portière s'ouvre ;
- Gardez les genoux bien serrés l'un contre l'autre ;
- Pivotez votre bassin vers la sortie, dans un angle minimum de 45 degrés de votre position initiale, en soulevant évidemment vos genoux ;

- Posez les deux pieds ensemble sur le sol ;
- Avancez légèrement le pied droit ;
- Allongez la colonne vertébrale et dirigez votre regard devant vous sans casser votre cou ;
- Tendez la main droite et prenez appui sur la main de votre cavalier qui, lui, doit demeurer immobile ;
- Hissez-vous hors de la voiture en trnasférant votre poids sur le pied droit.

COQUINERIE

Si vous vous sentez coquine et souhaitez offrir un spectacle affriolant, voici quelques manœuvres intéressantes :
- Pivotez légèrement le bassin vers l'ouverture de la porte ;
- Allongez la jambe droite hors de la voiture en posant la pointe du pied au sol ;
- Suspendez le moment (vous cherchez ici à provoquer l'émoi) ;
- Gardez toujours vos cuisses bien serrées l'une contre l'autre ;
- Posez le second pied au sol près du premier ;
- Tendez votre main pour le soutien ;
- Hissez-vous hors de la voiture, la tête haute et sourire aux lèvres !

AU LIT

À en croire les hommes, les talons hauts représentent l'élément le plus érotique qui soit, loin devant la lingerie ou tout autre artifice. Alors, mesdames, inutile de vous déchausser ! Bien au contraire, s'il y a un endroit propice pour envelopper vos pieds de vos merveilles, c'est bien dans la chambre à coucher ! Sortez vos extravagances et en particulier ces talons que vous n'oseriez jamais porter dans la rue. Ainsi harnachées, vous ne serez jamais vraiment nues devant la promesse de ranimer la fougue de votre amant !

la plateforme coquine

Talons hauts
et mise en forme

V

« *Fais du bien à ton corps pour que ton âme
ait envie d'y rester.* »

PROVERBE INDIEN

Que le corps obéisse à nos ordres et que nous maitrisions les mouvements que nous voulons entreprendre tombe sous le sens. Nous nous posons rarement la question de savoir si nous serons en mesure de monter un escalier, de nous asseoir ou encore moins de marcher.

Mais lorsque vient le temps de porter des chaussures à talons hauts, bon nombre de femmes sont soudainement prises d'un véritable vent de panique ! Aussi fébriles que des gazelles effarouchées, elles arrivent à peine à poser un pied devant l'autre, craignant à chaque pas de trébucher ou, pire encore, de tomber de leur hauteur. Elles marchent avec grande précaution et déambulent nerveusement en attente de la catastrophe qui leur pend au nez, ou devrais-je dire aux pieds ! Dotées de peu d'assurance, elles appréhendent naturellement leurs fameuses montures. **Prétendre marcher avec des talons hauts sans développer sa musculature est l'équivalent d'exiger d'un musicien qu'il entre en scène sans avoir accordé son instrument… Impensable, non ?**

Votre corps est **votre** instrument ! Il faut le connaitre, l'apprivoiser, l'assouplir et le fortifier afin de pouvoir l'utiliser à son plein potentiel et encore davantage… en jouer. Votre corps vous appartient et vous en êtes la seule responsable. Comme vous ne pourrez jamais le changer pour un modèle plus récent, vous devez en prendre soin. Cette belle machine si complexe nécessite des réglages et un entretien réguliers.

Vous allez me dire que vous savez déjà tout cela ! Vous connaissez l'enjeu… maintenant il s'agit de savoir si vous allez y changer quelque chose ! Faire la sourde oreille ne fera pas disparaitre la problématique. Si vous choisissez de laisser filer le temps en espérant que votre corps ne subisse que peu de dégâts, je ne peux que vous souhaiter bonne chance ! Mais vous savez comme moi que les années vous rattraperont. La nature est impitoyable. Seul un travail sur soi et son corps peut repousser les effets du temps. Alors, mesdames, les soins apportés à votre apparence et à votre beauté sont importants, mais ne négligez pas l'essentiel : la mobilité de votre corps.

L'ÉTERNELLE JEUNESSE

Si vous souhaitez gambader sur vos talons hauts encore très longtemps et afficher à tout vent votre merveilleuse féminité, le seul moyen d'y parvenir est de dérouiller vos articulations, d'assouplir et de fortifier vos tendons et muscles. Vous retarderez ainsi le moment où vous raccrocherez vos patins, que dis-je, vos talons.

Au-delà d'une peau de pêche, de traits sans rides ou d'un ovale parfait du visage, quelles sont les caractéristiques propres à la jeunesse si ce ne sont la souplesse et l'agilité. Ah! j'ai peut-être touché là un point sensible. Observez une femme s'asseoir ou monter les escaliers et vous pourrez évaluer son âge. Plus sa mobilité sera grande, plus vous aurez l'impression qu'elle est jeune et que le temps l'a épargnée.

Se trémousser, sauter, danser, enjamber des obstacles ou dévaler les escaliers à toute vitesse sont des habiletés que vous avez développées. Personne ne souhaite perdre peu à peu ses aptitudes. Il est donc inconcevable de laisser votre corps dépérir et s'ankyloser.

Nous aimerions toutes avoir trouvé la fontaine de Jouvence. Mais rêver à cette utopie en espérant que le temps nous oubliera ne changera rien à notre destinée. Je vous assure, par contre, qu'il est possible de tromper et de défier le temps en préservant la jeunesse de son corps avec un tant soi peu d'attention et de discipline. Il faudra y mettre de la bonne volonté. Investir sur vous-même ne vous apportera que des avantages. J'ajouterai sans hésitation que vous y trouverez, en prime, des effets très positifs dans votre vie intime.

Je ne vous convie donc pas ici à un programme d'entrainement intensif en vue de vous préparer aux championnats du monde de gymnastique, mais à vous familiariser avec certains mouvements et exercices simples qui permettront de huiler la mécanique de votre corps si précieux. Vous rehausserez votre niveau d'énergie, vous éliminerez sans aucun doute quelques douleurs et tensions et vous apporterez de la grâce à vos mouvements. Il faut savoir qu'un muscle entrainé confère une grande liberté d'action. Plus vous aurez des muscles forts, plus vous développerez votre assurance. Vous pourrez compter sur vous-même sans craindre les chutes ou les faux-mouvements. Vous saurez toujours récupérer d'un déséquilibre soudain qui autrement pourrait vous causer de sérieuses blessures.

Alors, mesdames, levez la tête, regardez-vous dans le miroir et promettez-vous d'investir sur votre capital corporel. Vous porterez vos talons hauts pour de nombreuses années encore.

Depuis le début de ce livre, je ne cesse d'insister sur l'importance de travailler l'axe naturel du corps et sa verticalité. Maintenant nous allons nous attaquer à construire les fortifications autour de cet axe. (Voir chapitre 3)
Vous allez peut-être au gym trois fois par semaine. Peut-être faites-vous du ski, pratiquez-vous la natation ou jouez-vous au tennis ? Si vous êtes déjà active, je vous félicite !

Pour toutes celles qui ne font aucune activité physique, ne vous découragez surtout pas, car j'ai d'excellentes nouvelles pour vous. Je vous propose un programme d'exercices à faire à la maison, dans votre environnement et à temps perdu, qui vont constituer la base nécessaire mais suffisante pour vous préparer au port de vos talons hauts. Une fois que vous aurez bien compris le programme d'exercices ci-dessous et à quoi ces derniers vont vous servir, vous vous surprendrez à les faire à toute heure du jour sans même y prêter attention, tout en :

- Prenant conscience de votre corps ;
- Comprenant comment s'organisent les mouvements ;
- Assimilant les changements qui vont s'opérer, perpétuant les bonnes habitudes.

La liste des exercices n'est pas exhaustive et ceux que je préconise lors de mes ateliers afin de rehausser la grâce des mouvements ne sont pas illustrés ici.

1 Assouplissements :
Huilons nos charnières !

L'articulation est le lieu de réunion de deux ou plusieurs os. Nous distinguons deux genres d'articulations : les grandes articulations qui permettent des mouvements étendus (genoux, chevilles, coudes, épaules, hanches, etc.), et les fixes (le sacrum) ou semi-mobiles (les vertèbres).

Au fur et à mesure que l'on vieillit, les articulations s'ankylosent car les cartilages s'usent (à la façon des amortisseurs d'une automobile) et perdent de leur précieux collagène. En perdant de cette substance, ils perdent aussi leur souplesse. Ils finissent par se fissurer, ce qui entraîne des frottements entre les os qu'ils sont sensés séparer.

Pour protéger nos articulations, nous devons entreprendre deux actions importantes :

- Fortifier notre musculature afin d'offrir un meilleur soutien à nos articulations ;
- Assouplir les articulations afin d'éviter qu'elles s'ankylosent et perdent de leur mobilité. Tous les mouvements de rotation contribueront à préserver leur souplesse.

Nous allons nous concentrer ici sur quelques exercices qui favoriseront l'agilité de votre démarche.

LE BASSIN

Le bassin est une partie de notre corps qui souffre de raideurs souvent très sévères. Nous savons plus facilement nous déhancher de gauche à droite, mais qu'en est-il du mouvement avant / arrière ? La bascule du bassin dans l'axe avant / arrière est un **mouvement assez subtil** et parfois difficile à exécuter puisqu'il se fait au niveau des quatrième et cinquième vertèbres lombaires et de la première vertèbre du sacrum. Participent aussi à ce mouvement, bien évidemment, la hanche ainsi que la tête du fémur, les muscles des fessiers et les abdominaux.

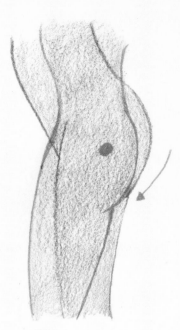

a   *la bascule*

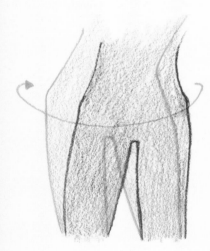

b   *la rotation*

le twist   *c*

a La bascule : devant / derrière

- Basculez, roulez le bassin vers l'avant. Ramenez l'os du pubis vers votre nombril ;
- Basculez vers l'arrière. Comme si vous aviez une queue sur laquelle on tirait ;
- Debout, les genoux plieront légèrement afin de permettre le mouvement qui est petit.

Gauche / droite

- Basculez vos hanches vers la droite. Votre poids sera transféré vers le côté droit ;
- Puis, faites de même sur la gauche.

b La rotation

- Reliez ces quatre points en une rotation continue dans le sens des aiguilles d'une montre. Puis changez de sens.

Vous pouvez aussi faire cet exercice couchée au sol, les genoux pliés et les talons près des fessiers.

AU SOL : SUR LE DOS

Le papillon

- Genoux pliés ;
- Talons collés l'un contre l'autre, près des fessiers ;
- Laissez tomber vos genoux en ouverture sans décoller vos talons ;
- Respirez et laissez agir l'étirement dans l'articulation de la hanche.

c Le twist

- Ramenez vos genoux collés et pliés sur la poitrine ;
- Dans un mouvement continu et rapide, balancez latéralement vos pieds de gauche à droite. Ceci entrainera votre bassin dans un mouvement de vas-et-vient.

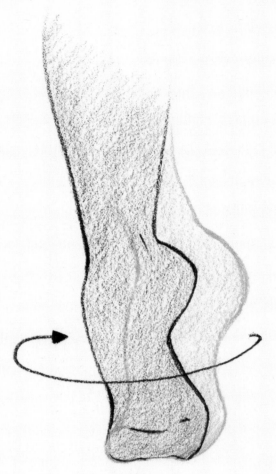

d *le tourniquet*

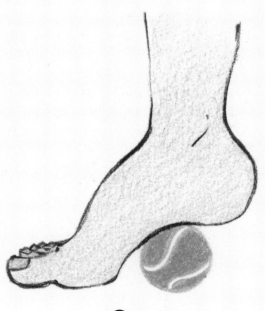

e *la balle*

LES CHEVILLES

DEBOUT

d *Le tourniquet*

- Soulevez le talon gauche du sol ; votre pied sera ainsi sur demi-pointe, seul le métatarse touchant le sol ;
- Engagez une rotation de la cheville en initiant le mouvement par le talon. Dans un sens puis dans l'autre ;
- Changez de pied.

LES PIEDS

e *La balle*

Sur une balle de tennis ou une balle en caoutchouc assez ferme, posez un pied nu.

- Faites rouler cette balle sous votre pied en insistant sur les zones sensibles ;
- Appuyez et insistez sur les trois points d'appui du métatarse et du talon ainsi que sur la tranche extérieure du pied ;
- En transférant votre poids sur la balle et en modulant la pression exercée, vous relâcherez plus ou moins les points de tension.

Mise en garde : Si vous êtes en surpoids ou souffrez de diabète, utilisez une pression très légère. Remplacer la balle par une bouteille d'eau glacée peut soulager une blessure.

LES ORTEILS

Je rencontre souvent des femmes dont les orteils ressemblent à un membre qui leur est étranger et sans aucune vie. Assouplir ses orteils favorise la circulation sanguine et leur permet de participer activement à l'équilibre du corps.

- Relevez les orteils vers le dessus du pied ;
- Puis recroquevillez-les ;
- Écartez les orteils l'un de l'autre en formant un éventail et fermez ;
- Exercez-vous à saisir une serviette ou un objet avec vos orteils et reposez.

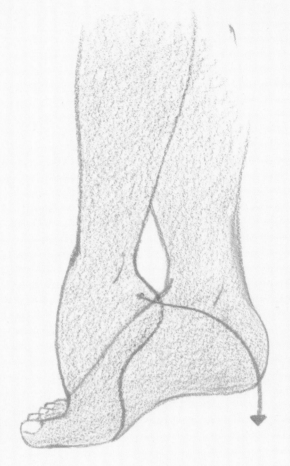

f Le relevés demi-pointes

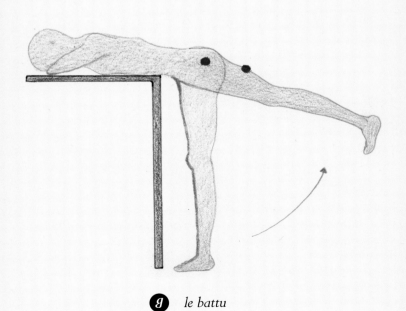

g le battu

2 Muscler ce corps

Dans la cuisine

Combien de temps par jour passez-vous dans la cuisine ? Beaucoup… La plupart des corvées vous obligent à utiliser vos bras et vos mains, mais que faites-vous pendant ce temps avec le reste de votre corps ? Voici des exercices à la fois simples et très efficaces pour vous fortifier.

Les chevilles et mollets

Devant l'évier

f **Le relevé demi-pointes**

- Pieds nus ou en chaussettes ;
- Les pieds parallèles et écartés à la largeur de vos épaules ;
- Tête souple, mâchoires desserrées ;
- Bien serrer vos fessiers, cela aura pour effet de faire basculer votre bassin vers l'avant, évitant ainsi la cambrure exagérée des lombaires ;
- Montez sur la pointe des pieds en laissant bien tous vos orteils au sol et vos genoux tendus ;
- Redescendez à la position initiale, talons au sol.

Répétez 10 fois.

- Faites le même exercice en positionnant vos pieds comme si vous les placiez sur une horloge indiquand 10 heures 10 ;

Les fessiers

Sur l'îlot ou le comptoir

g **Le battu**

- Penchez votre buste sur le comptoir ou l'îlot ;
- Assurez-vous que votre poitrine est bien à plat. Votre corps est ainsi en équerre ;
- Genoux tendus ;
- Pointez une jambe vers l'arrière ;
- Levez et descendez la jambe en serrant bien vos fessiers.

Répétez 10 fois et changez de jambe.

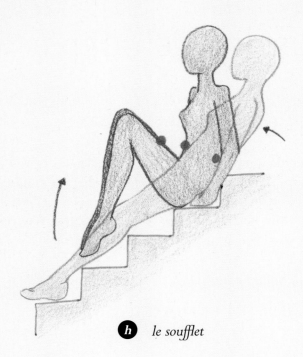

h *le soufflet*

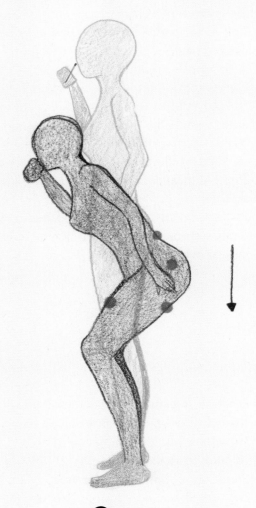

i *le squat*

Dans les escaliers

(Vous pouvez faire cet exercice sur une chaise.)

Le dos - les abdos - les cuisses

h **Le soufflet**

- Assoyez-vous sur une marche (ou une chaise) ;
- Prenez bien soin de vous placer sur vos ischions (les os au bas de vos fesses) ;
- Gardez le dos bien droit ;
- Croisez vos mains sur votre poitrine ou posez-les de part et d'autre de votre corps, sur la marche si vous manquez d'équilibre ;
- Allongez vos jambes (vos pieds toucheront une des marches inférieures ou le sol si vous êtes sur une chaise) ;
- Remontez vos genoux vers votre poitrine, puis allongez vos jambes de nouveau ;
- Cet exercice demande un certain équilibre.

Répétez 10 fois.

Dans la salle de bain

Combien de temps passez-vous à vous brosser les dents ? Si vous respectez les consignes de votre dentiste, vous y consacrez au moins deux minutes, trois fois par jour. Soit six minutes au total. Cela fait deux mille cent quatre-vingt-dix minutes ou trente-six heures par année. Au bout de dix ans vous aurez passé quinze jours, immobile, la bouche pleine de dentifrice. Imaginez quel joli popotin vous auriez si vous profitiez de tout ce temps pour faire des *squats*. Pour les cuisses et fessiers.

Les fessiers - les cuisses - le dos

i **Le squat**

- Écartez vos pieds en parallèle à la largeur de vos épaules ;
- Pliez vos genoux ;
- Alignez les genoux avec les 2e orteils ;
- Penchez votre torse vers l'avant dans un angle de 45 degrés. Attention, vous ne devez pas plier la colonne vertébrale mais bien « casser » au niveau de l'articulation des hanches ;

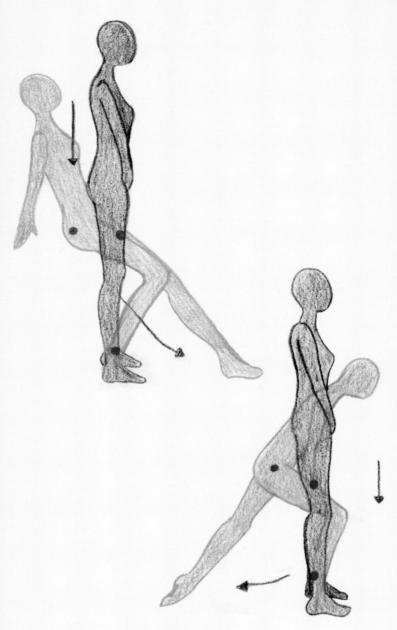

j *le piqué balancé*

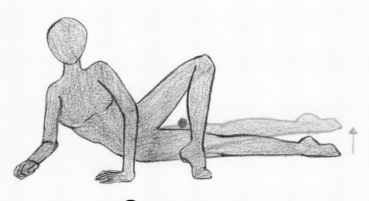

k *le mini battu*

- Tout en gardant le dos à 45 degrés, tendez vos genoux en poussant vos fesses vers le haut comme si on vous tirait par la queue ;
- Pliez vos genoux de nouveau sans lever les talons du sol ;

Répétez d'abord 10 fois à 30 fois.

Lorsque vous aurez acquis une certaine endurance, concentrez-vous sur vos fessiers.

Alors que vous engagez la remontée, pensez à serrer les muscles de vos fesses avec autant d'ardeur que possible. Les muscles qui seront sollicités sont ces petits muscles qui se situent à la jonction de l'arrière de la cuisse et de la fesse et qui autrement sont très difficiles à localiser.

Si vous deviez faire un seul exercice, c'est celui-ci. Fesses rebondies et cuisses en béton garanties !

Variation

Posez une planche ou une serviette roulée sous la plante des pieds. Les muscles des fessiers seront sollicités différemment.

L'ÉQUILIBRE

j   *Le piqué balancé*
- Les pieds écartés à la largeur de vos épaules, la pointe des orteils légèrement tournées vers l'extérieur ;
- Pliez le genou gauche ;
- Pointez le pied droit devant vous vers le sol, en gardant ce genou droit bien tendu ;
- Maintenez votre poids exclusivement sur la jambe de soutien (gauche) ;
- Votre corps se penchera naturellement vers l'arrière ;
- Revenez à la position initiale ;
- Pliez le genou gauche de nouveau ;
- Pointez le pied droit derrière vous en gardant ce genou droit bien tendu ;
- Maintenez votre poids exclusivement sur la jambe de soutien ici encore ;
- Votre corps se penchera naturellement vers l'avant ;
- Revenez à la position initiale.

Répétez 10 fois et changez de jambe.

Cet exercice de balancement est fantastique pour construire votre équilibre, muscler vos chevilles et vos cuisses.

Dans la chambre à coucher

SUR LE LIT

Notre lit est source de repos autant qu'un endroit propice à l'amour. Ici, le lit va nous servir de tatami. Vous avez bien le droit d'être un peu princesse et d'exiger un coussin ou deux pour rendre les exercices plus confortables.

L'intérieur des cuisses

k   *Le mini battu*

- Couchez-vous sur le côté droit, les jambes allongées. Attention de ne pas basculer sur les reins, car vous devez rester sur la tranche du corps et parfaitement alignée ;
- Pliez le genou gauche et amenez le pied gauche devant vous en équerre ;
- En prenant appui sur le lit avec votre main, soulevez la jambe droite bien tendue vers le haut puis reposez-la. Ce mouvement est petit. Il peut se faire à un rythme accéléré ou très lent ;

Nuance : en tournant légèrement la jambe tendue vers l'intérieur ou en l'ouvrant vers l'extérieur, vous sentirez les subtilités dans l'effort demandé.
Faites 10, 20 jusqu'à 50 fois.

Pour les dures à cuire
Lorsque vous aurez développé une certaine force, vous pourrez multiplier les effets de tous ces exercices en accrochant des poids de un kilo à vos chevilles. Là, je vous promets que ça va chauffer !

Les fessiers

- À quatre pattes, placez un gros oreiller sous votre poitrine afin de vous donner un certain support. Les plus averties se tiendront uniquement sur leurs coudes ;
- Allongez une jambe vers l'arrière ;
- Pliez le genou en ramenant le talon vers la fesse, vous aurez alors la jambe en équerre ;
- La plante du pied fait face au plafond ;

- En initiant le mouvement par le talon, levez la jambe pliée vers le haut et revenez à la position initiale ;
- Le mouvement est petit mais terriblement efficace pour muscler les fessiers ;
- Attention de ne pas arquer les lombaires ou casser le cou.

Faites ce mouvement 10 fois. L'idéal est d'arriver à faire ce mouvement 50 fois pour chaque jambe. Vous y arriverez petit à petit à mesure que vous gagnerez en force.

Les abdos

Sur le dos
Rien de nouveau dans cet exercice mais combien d'entre vous le font régulièrement ? La sangle abdominale est la forteresse de votre corps et le pilier de votre bonne posture.

- Si vous avez une tête de lit, posez vos pieds sur le rebord, les genoux pliés. Si vous n'en avez pas, positionnez-vous afin de placer vos pieds sur le mur, comme si vous étiez assise sur une chaise à la renverse, les genoux pliés en équerre ;
- Placez vos mains derrière la tête. Vos mains ne serviront qu'à soulager votre cou du 6 à 9 kilos que représente votre tête. Il ne faut jamais tirer sur votre cou, vous vous blesseriez ;
- Soulevez vos épaules et le haut de votre poitrine dans un mouvement arrondi, tout en laissant vos lombaires en contact avec le lit en tout temps. Ne jamais remonter la totalité de votre corps jusqu'à la position assise comme on voit parfois les athlètes le faire. Les effets négatifs sur le cou seraient plus importants que les effets profitables de l'exercice.

Ici encore, on débute avec 10, puis 15… et 50.

LES ABDOS TRANSVERSAUX

- Dans la même position, ramenez le coude droit vers le genou gauche. Faites 10 fois.
- Puis, le coude gauche vers le genou droit : 10 fois également. Puis alternez 10 autres fois. Les plus tenaces arriveront à doubler la mise !

Vous êtes motivée pour le moment, mais il ne faudra pas vous décourager si vous ne percevez pas de miracles au bout de la troisième séance. Le plus difficile sera sans doute de persister. Rome ne s'est pas construite en un jour et votre corps ne se musclera pas non plus en si peu de temps. Mais, petit à petit, vous vous sentirez plus forte. Vous augmenterez progressivement le nombre de séries pour chacun des exercices. Vous apprécierez d'autant plus la tonicité de votre musculature lorsque vous gambaderez en talons hauts !

Arrivera le jour où vous vous regarderez dans le miroir et où vous découvrirez une forme longue mais arrondie qui se dessine sur votre cuisse. Il se peut que ce soit un petit creux qui se profile sur votre fesse… eh oui, le voilà, ce fameux muscle tant espéré ! Admirez le travail de l'artiste, vous pouvez être fière de vous !

3 LES ÉTIREMENTS

À moins de pratiquer le yoga, la danse, la gymnastique artistique, la natation ou une activité similaire, votre corps a très peu d'occasion d'être en extension. Vous demandez constamment à votre musculature de travailler en force lorsque vous pratiquez un sport, jardinez ou faites des rénovations. Les tensions s'accumulent et les fameux nœuds font leur apparition, causant des douleurs parfois bien pénibles et parfois ankylosantes. À cet instant, les muscles se contractent tout en se raccourcissant.

> *« Le problème majeur et que nous rencontrons tous est le raccourcissement des muscles postérieurs, c'est-à-dire tous les muscles qui se situent à l'arrière de notre corps* [13]*. »*

Combien d'entre vous sont capables de toucher le sol du bout des doigts tout simplement en se penchant vers l'avant, genoux tendus et pieds collés ? Il est intéressant de remarquer que le raccourcissement des muscles arrière provoque le plus souvent une rotation des genoux vers l'intérieur, dès l'instant où le corps est penché.

L'étirement est la meilleure manière de remédier à cette situation handicapante. Les étirements vous permettent de relâcher le contrôle exagéré, et donc néfaste, que votre esprit exerce sur votre activité corporelle. Tous les étirements doivent être réalisés lentement et sans à-coup, en utilisant à la fois le poids du corps et en expirant afin de bien relâcher les tensions.

Chaque étirement peut être maintenu pendant une période variant de 30 secondes à une minute (ou plus). N'oubliez jamais de respirer à fond pendant le travail et surtout ne forcez pas. La douleur ne doit **jamais** accompagner les exercices.

La colonne vertébrale

Debout, dos au mur

1   *Le roulement descendant*

- Placez vos pieds éloignés du mur à une distance équivalente à la longueur de votre pied ;
- Écartez les jambes un peu plus que la largeur de vos épaules ;
- Basculez votre poids en arrière afin de laisser vos fesses et votre dos toucher le mur sans déplacer vos pieds ;
- Relâchez la mâchoire en plaçant la langue sur la pointe de vos dents inférieures — vous sentirez votre menton s'avancer ;
- Laissez tomber le menton sur la poitrine, vous sentirez l'étirement à l'arrière du cou ;
- Continuez la descente, tête première.

Ne décollez pas vos fesses du mur, votre soutien en dépend.

- Laissez tomber les épaules vers l'avant, vous sentirez l'étirement entre les omoplates ;
- Laissez vos bras suivre le mouvement sans les retenir — ils pendront dans le vide ;
- Continuez à dérouler doucement la colonne vertébrale ;
- Vos doigts toucheront le sol (ou presque…) et vos genoux fléchiront un peu ;
- Plus vous descendrez, plus les mains tendront vers le sol.

13.   Bertherat, Thérèse et Carol Benstein, *Le corps a ses raisons*, Paris, Éditions Seuil, 1976

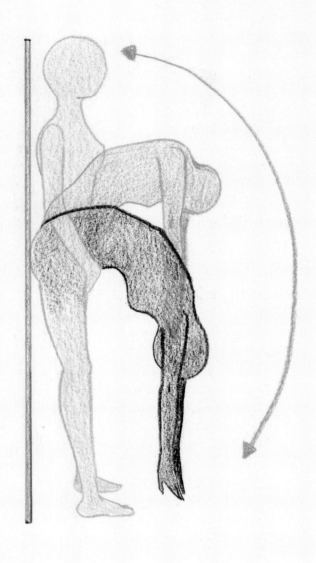

1 *le roulement descendant et ascendant*

Vous sentirez sans doute un étirement derrière les cuisses et les mollets.

Dans cette position : Faites les mouvements suivants les uns après les autres.

- **Tête :** faites de légers mouvements de *oui* et de *non* ;
- **Épaules :** secouez vos épaules rapidement et en alternance — vous sentirez comme si la tête de l'humérus voulait se détacher du joint de votre épaule ;
- En prenant bien appui sur vos pieds et en poussant vos fesses vers le mur, respirez profondément en imaginant que l'air transite par le bas du dos, au niveau de vos vertèbres lombaires ;
- Vous sentirez que votre colonne s'étire et que vous vous rapprochez du sol un peu plus à chaque respiration.

Restez dans cette position de 30 secondes à une minute. Respirez…

1   *le roulement ascendant*

Toujours en prenant appui sur vos pieds et en poussant vos fesses contre le mur, faites les exercices suivants.

- Laissez pendre vos bras sans les retenir ;
- Laissez trainer votre tête, elle est la dernière à remonter ;
- Ne crispez pas vos épaules, laissez-les tomber ;
- Ne retenez pas votre souffle mais expirez pendant la montée ;
- Déroulez le bas de la colonne en prenant soin de coller chaque vertèbre contre le mur, une à une jusqu'à ce que la tête soit complètement à la verticale.

Vous sentirez sans doute un léger étourdissement, alors respirez profondément. Vous aurez une sensation de flottement, votre tête sera souple et détendue.

Cet exercice peut aussi être fait assis sur une chaise.

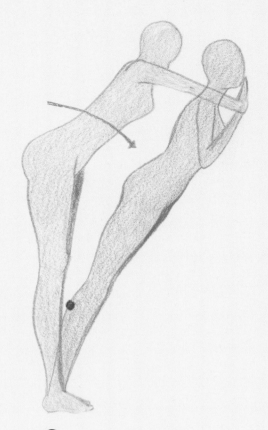

m *poussons le mur*

n *la queue du chat*

LES MOLLETS - LES CUISSES - LE TENDON D'ACHILLE

FACE AU MUR

Un des problèmes récurrents et souvent insidieux est le raccourcissement des muscles des mollets et du tendon d'Achille. De nombreuses femmes m'ont avoué ne plus être en mesure de descendre de leurs talons hauts, non pas par choix de les porter en permanence, mais en raison de la douleur insupportable qui survient lorsqu'elles se retrouvent en ballerines ou pieds nus. Il ne faut certainement pas négliger ce tendon d'Achille et espérer que jamais il ne **claquera** ou ne se déchirera !

Chausser des talons hauts ne devrait en aucun cas porter préjudice à votre bien-être ou à votre santé et encore moins vous handicaper. Devoir abandonner les joies de déambuler, les orteils dans le sable à cause d'un tendon d'Achille trop raccourci n'a aucun sens et aucune raison d'être.

m *Poussons le mur*

- Placez vos deux mains à la hauteur des épaules, à plat contre le mur, les coudes tendus et les doigts vers le plafond ;
- Reculez vos pieds joints le plus loin possible sans toutefois décoller les talons du sol. Vous cherchez à adopter un angle de 45 degrés ;
- Sans plier les genoux, poussez le bassin en direction du mur en actionnant les bras dans un mouvement similaire à des pompes (*push-ups*) ; vos bras profiteront par la même occasion de cet exercice ;
- Respirez profondément, maintenez la position pendant au moins 30 secondes ;
- Revenez à la position initiale.

n *La queue du chat*

- Dans la même position à 45 degrés ;
- Sans plier les genoux ou les coudes ;
- Éloignez les fesses loin du mur comme si on vous tirait par le fond de la culotte ;
- Imaginez faire remonter l'os du coccyx vers le haut, comme si vous étiez un chat qui lève la queue – cela aura pour effet d'étirer l'arrière des cuisses et sans doute un peu encore les mollets ;
- Respirez profondément ; maintenez la position au moins 30 secondes ;
- Revenez à la position initiale.

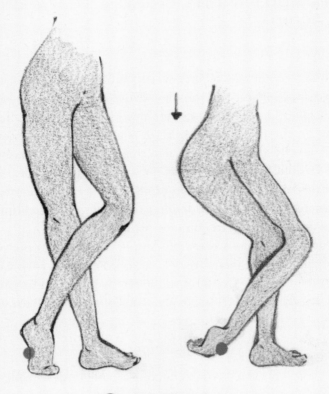

o *le col de cygne*

p *le pied de biche*

Le pousse-pousse

- Pieds collés, genoux tendus ;
- Doucement, poussez la chaise vers l'avant tout en l'éloignant de vous ;
- Pensez à lever votre fessier vers le plafond comme le ferait un chat levant la queue ;

Vous sentirez l'étirement à l'arrière des genoux, mollets et cuisses. Vous profitez de cet étirement aussi au niveau des épaules et des omoplates.

Variation : Faites le même exercice, les pieds écartés à la largeur de vos épaules.

En prime : Cet exercice exécuté contre le mur, avec la chaise ou dans les escaliers, est aussi bénéfique une fois la porte de la chambre close. Il permet d'adopter cette position coquine qui met le fessier bien en évidence… votre amant vous sera reconnaissant de vous y être attardée. Ajoutez à cela vos talons et la soirée promet d'être bien piquante !

Le cou-de-pied

Position debout

o **Le col de cygne**

- Croisez votre pied gauche par-dessus votre pied droit ;
- Placez le cou-de-pied gauche contre le sol, orteils pointés vers l'arrière ;
- Les deux genoux seront croisés ;
- Pliez les genoux ensemble, tout en poussant légèrement votre poids vers l'avant ;
- Changez de côté.

Les pieds

À genoux, assoyez-vous, les fesses sur les talons

p **Le pied de biche**

- Posez vos mains devant vous au sol, ce qui entraînera votre corps vers l'avant ;
- Repliez les orteils des deux pieds comme si vous vous apprêtiez à vous relever ; seule la plante des pieds et les orteils touchent le sol ;
- Laissez agir l'étirement.

Voilà ! Sans même avoir quitté la maison ou déboursé pour un abonnement au gym, vous êtes en mesure de fortifier, d'assouplir et d'étirer ce corps qui mérite vraiment toute votre attention. Je peux comprendre que vous ne fassiez pas tous les exercices de ce programme dès le premier jour, mais vous devrez profiter de chaque occasion pour effectuer un squat, un étirement ou une rotation d'articulation. En incorporant ces quelques exercices à votre quotidien, vous constaterez rapidement des changements qui ne manqueront pas de vous surprendre. Vous serez plus encline à porter vos talons hauts, car vous vous sentirez à la fois plus solide, plus agile et certainement plus confiante !

4 Gym ou pas ?

Bon nombre de personnes se plaignent de souffrir ici et là de tensions musculaires, de douleurs articulaires ou de raideurs handicapantes. Le fait que nous soyons en position assise aussi fréquemment, au bureau et ensuite devant l'ordinateur personnel et la télévision, n'arrange en rien les choses. Les horaires surchargés des uns et des autres contribuent aussi à élever notre niveau de stress et, par voie de conséquence, le niveau de stress que nous infligeons à notre corps.

Nous pourrions croire que les personnes qui s'adonnent à l'entrainement, à une activité physique ou à un sport seraient épargnées par ces stress qui sont la cause principale de ces douleurs et tensions.
Il s'avère que, dans la grande majorité des cours, formations ou entrainements, les professeurs, entraineurs ou conseillers semblent oublier d'enseigner l'essentiel aux participants : comprendre et connaitre le fonctionnement du corps humain et de leur corps en particulier. Le corps est ainsi soumis à des exercices intenses avec l'idée que la douleur est un mal nécessaire pour obtenir de vrais résultats.

Moi-même ancienne ballerine, j'ai des souvenirs terribles de professeurs s'acharnant sur moi avec une certaine violence afin d'assurer la souplesse de ma musculature. Combien de fois ai-je été blessée alors que l'un d'eux forçait ma descente dans un grand écart ou poussait l'extension de ma jambe tendue afin que mon genou s'accroche à mon nez. Muscles déchirés, tendons «claqués», ménisques abimés, je pourrais vous raconter des dizaines d'histoires cauchemardesques !

Malheureux constats de pratiques à la limite du barbare et qui, malgré leur efficacité ponctuelle, laissent des séquelles permanentes aux corps meurtris.

Dans l'inconscient collectif, l'idée persiste et on croit à tort que l'effort démesuré est indispensable, que la douleur doit nécessairement faire partie du programme de mise en forme, quels que soient l'exercice, le sport ou la discipline. Je suis malheureusement encore trop souvent surprise de rencontrer dans les salles de gym des hommes et des femmes qui s'époumonent, grincent des dents et transpirent abondamment, croyant que les efforts qu'ils déploient avec autant de détermination leur seront profitables.

Pendant ce temps, ils suent et pompent avec acharnement dans des positions qui, dans tous les cas, provoqueront tôt ou tard des dommages plus importants que les bienfaits de l'exercice lui-même. Ils utilisent allègrement des poids souvent trop lourds, convaincus de décupler les résultats dans un laps de temps des plus courts. En fait, c'est possible, mais à moins de vouloir absolument gonfler comme le bonhomme Michelin, cette pratique est inutile et peut s'avérer vraiment dangereuse si vous ne possédez aucune compétence dans le domaine. Laissées à elles-mêmes, les nouvelles recrues se découragent facilement après une ou deux séances simplement parce que leur programme est mal adapté à leur forme physique, à leur morphologie et comprend l'utilisation de poids beaucoup trop lourds.

Restons vigilantes dans ces programmes de mise en forme et surtout faisons appel à des professionnels afin d'éviter tout risque de blessures potentielles. Je prône donc des entrainements moins agressifs et plus progressifs.

Nous assistons heureusement et depuis quelques années à un intérêt grandissant pour les activités moins brutales ou violentes, telles que le yoga, le tai chi et autres disciplines plus douces qui s'harmonisent beaucoup mieux avec le bien-être du corps et de l'esprit.

Je vous encourage fortement à envisager de telles activités ou, plus amusant encore, à considérer des activités connexes comme les cours de danse. Pourquoi pas débuter un cours de tango ?

5 Récupération rapide en voiture

Nous l'avons vu, porter des talons hauts peut provoquer des tensions et des douleurs qu'il ne faut en aucun cas négliger. Vous revenez de ce fameux cocktail où vous avez été debout pendant des heures, chaussée de vos plus magnifiques talons aiguilles.

Comme cela ne vous a pas suffi, vous vous êtes ensuite dirigée vers la discothèque la plus en vue de la ville où vous avez dansé sans relâche et sur des rythmes endiablés le reste de la nuit. Je suis prête à parier qu'après ce long pèlerinage vous êtes au bord des larmes tellement vos pieds fatigués, étranglés, comprimés et malmenés sont endoloris. S'ajoutent à cela quelques belles crampes qui se sont installées dans les mollets et une barre dans le dos, située juste au-dessus des lombaires, qui semble vous avoir coupé le souffle. Et, pour couronner le tout, votre cou raidi annonce une migraine lancinante.

Aïe ! Décidemment ces talons hauts vous mènent la vie dure. Mais au fond de vous-même, vous savez que, malgré les douleurs les plus insoutenables, vous ne battrez jamais en retraite et persisterez à entretenir cette relation amoureuse quasi sadomasochiste avec ces escarpins ! Alors, comme vous n'avez pas encore l'intention de vendre votre âme au diable, il est temps à présent de prendre soin de ce corps quelque peu maltraité !

Mon petit truc infaillible !

Dans la voiture, pendant le trajet de retour à la maison, je profite de ce temps d'inactivité pour relaxer, étirer et assouplir mes pieds, mes jambes et mon dos.

- Débarrassez-vous de vos chaussures… enfin ! Pauvres orteils, ils sont tout recroquevillés ;
- Reculez le siège du passager le plus loin possible afin de profiter de l'espace maximum pour vos jambes ;
- Placez vos pieds sur le tableau de bord.

Oui, votre conjoint risque de bougonner! Rassurez-le en lui promettant d'essuyer le tableau de bord qui sera barbouillé des empreintes de vos pieds et ne manquez pas de lui souligner combien cette étape est indispensable s'il souhaite vous revoir hissée sur ces belles échasses!

ASSOUPLISSEMENTS

Les chevilles : 10 fois chaque mouvement
- Pointez vos pieds comme une ballerine;
- Fléchissez en ramenant les orteils vers le dessus du pied;
- Faites des rotations dans le sens des aiguilles d'une montre;
- Faites des rotations dans le sens inverse;

les orteils : 10 fois chaque mouvement
- Recroquevillez vos orteils comme si vous vouliez saisir un objet;
- Pointez vos orteils vers le haut;
- Passez les doigts de votre main entre chaque orteil afin de les écarter. Certaines personnes trouvent cet exercice assez difficile et n'arrivent pas à insérer complètement tous les doigts. Allez-y doucement et petit à petit.

ÉTIREMENTS

Cet exercice sert à étirer l'arrière de vos jambes ainsi que le tendon d'Achille. Vous devriez sentir le travail particulièrement derrière les genoux, les mollets et le long de la plante des pieds.
- Étendez vos jambes devant vous sur le tableau de bord;
- Posez vos pieds à plat contre le pare-brise; vos orteils chatouilleront la vitre dont la fraicheur calmera la sensation de brûlure qui accable vos pieds;
- L'élévation sert à désengorger l'éponge sanguine qu'est la plante des pieds et à favoriser un retour veineux du sang (petit rappel: les veines apportent le sang au cœur contrairement aux artères qui distribuent le sang du cœur vers les organes);

- Prenez soin de bien vous asseoir sur vos ischions et non sur vos reins ;
- Gardez le dos bien appuyé sur le dossier du siège ; redressez le dossier à la verticale s'il le faut ;
- Tendez vos genoux afin d'avoir les jambes bien droites. Il est possible que vous ne puissiez pas les tendre complètement, allez-y petit à petit ;
- Relâchez en pliant vos genoux ;
- N'oubliez pas de respirer pendant les étirements ;
- Maintenez la position d'étirement au moins 30 secondes.

Recommencez plusieurs fois.

Le dos

- Tout en gardant cette même position, les jambes tendues et allongées sur le tableau de bord, glissez vos mains le long de vos jambes en visant la pointe de vos pieds ;
- Vous rapprocherez ainsi le ventre vers les cuisses ;
- Ne cassez pas le cou. Allongez la colonne en dirigeant votre nez vers les genoux ;
- Les plus souples toucheront leur nez contre leurs genoux ;
- Retournez à la position assise et recommencez plusieurs fois en accompagnant la descente d'une longue expiration ;
- Imaginez envoyer votre souffle dans les lombaires. Vous aurez l'impression de pousser votre dos vers le toit de la voiture. Cela aura pour effet de détendre les muscles du dos.

MASSAGE DES PIEDS

- Pliez le genou droit et ramenez le pied sur la cuisse gauche dans la position de l'indien ;
- Avec vos deux pouces, massez vigoureusement le dessous du pied en insistant sur le muscle qui longe la voute plantaire entre le talon et le premier métatarse ;
- Prenez votre pied dans votre main gauche et, avec votre pouce, glissez le long des tendons depuis la cheville jusqu'à la naissance des orteils. Insistez sur le tendon du 4e orteil, toujours plus fatigué que les autres ;

- Saisissez un à un le coussin de chacun de vos orteils, entre votre pouce et votre index, et tirez-les délicatement tout en les secouant.

- Avec votre pouce, appuyez très fort sur les trois points d'appui principaux situés :
  - sous le premier métatarse ;
  - entre le cinquième et le quatrième métatarse ;
  - à la pointe du talon juste avant la voute plantaire.

Vous voilà à peine arrivée chez vous et vos petits pieds sont déjà reposés et contents ! Il ne vous reste maintenant qu'à les baigner et les crémer !

Si vous devez prendre un taxi ou les transports en commun, j'avoue que cette récupération est évidemment exclue du programme de votre fin de soirée. Par contre, vous pouvez faire tous ces exercices une fois arrivée à la maison en vous assoyant par terre, le dos contre le canapé du salon. Soulevez légèrement vos chevilles à l'aide d'un gros coussin et appuyez simplement vos pieds contre les pattes de la table à café ou un mur.

Avec un peu de chance, votre amoureux, dont les mains ne reposent plus sur le volant de la voiture, vous offrira peut-être un massage des pieds.

la Charles IX

PATHOLOGIES ET SOINS

« *Oui, mon corps est moi-même et j'en veux prendre soin !*
Guenille si l'on veut, ma guenille m'est chère. »

MOLIÈRE

(*Les femmes savantes*)

La documentation relatant les problèmes liés au port des talons hauts est abondante. Je n'ai pas l'intention ou la prétention de passer ici en revue toutes les pathologies et problèmes catastrophiques et spectaculaires que la médecine ne cesse de mettre en évidence depuis longtemps. Médecins, podiatres ou podologues sont unanimes : les chaussures à talons de plus de cinq centimètres peuvent engendrer des blessures ou des douleurs parfois très aiguës. Et malgré leurs avertissements, rien ne semble décourager ou inciter les femmes à descendre de leur hauteur. Elles font la sourde oreille, nient ou simplement balaient de leur mémoire toute trace de larmes que leurs talons hauts leur ont fait verser. Nous pourrions même nous demander si elles ne souffriraient pas à l'occasion du syndrome de Stockholm.

Je brosserai donc un tableau général afin que vous soyez clairement consciente des incidences possibles que les talons peuvent avoir sur votre corps et votre santé, en espérant que vous adopterez un comportement qui en minimisera les risques et qui vous permettra de ne jamais avoir à les reléguer aux oubliettes.

« Mais que dire des chaussures féminines excédant, très notablement, les six centimètres ! Ces adorables souliers creusent, et par là même, raccourcissent le pied, en le contraignant à l'équinisme. La démarche est gracieuse, dansante, voire précieuse, la cheville fine, Achille est sculpté sous un mollet rond et tendu, les reins se tendent et se courbent, le buste se redresse avantageusement, le port de la tête est dégagé. Que de charme mais, à échéance, que de dégâts possibles [14] *»*

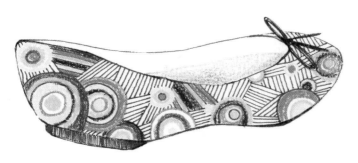

la ballerine

1 Les gros bobos

Déséquilibre et posture

Normalement, en position debout, les deux tiers de votre poids reposent sur vos talons. Lorsque vous portez des chaussures à talons hauts, le poids du corps est instantanément projeté vers l'avant sur la plante du pied, repositionnant les talons ainsi soulevés au-dessus des orteils. Le désalignement provoqué par ce transfert de poids vers l'avant affecte d'une manière significative l'alignement de la colonne vertébrale. Le bassin bascule vers l'arrière, accentuant la courbure des lombaires. La poitrine se voit forcée vers l'avant et, afin de compenser ce déséquilibre, les épaules sont projetées à leur tour vers l'arrière, entraînant la compression des vertèbres cervicales. Tous les groupes de muscles déploient un effort considérable afin de maintenir le corps érigé. Plus le talon est haut, plus la plante du pied subit la pression du poids du corps et plus l'effort pour le maintenir en équilibre est important.

- Un talon de 2,4 centimètres (1 pouce) transfère 22 % du poids du corps sur la plante du pied ;
- Un talon de 5 centimètres (2 pouces) en projette 57 % ;
- Un talon de 7,5 centimètres (3 pouces) en redistribue 76 % ;
- Un talon de plus de 7,5 centimètres (+ 3 pouces) transfère 100 % à l'avant.

Pour calculer la hauteur exacte du talon, mesurez le talon et soustrayez la hauteur de la plateforme avant de la chaussure. Talon - plateforme = hauteur réelle du talon haut.

Le dos

Quand vous êtes chaussée de talons hauts, votre dos adopte instantanément une position arquée, causant une pression extraordinaire sur les lombaires. La nouvelle courbe que dessine la colonne peut sans doute titiller l'œil qui se

14.   *Drs F. Bonnel, J.-E. Claustre et S. Braun. Dossier « La chaussure, c'est pas le pied ! » Article paru dans Femmes info n°84, automne 1998*

pose sur cette pente suggestive, mais elle entraine par la même occasion certains problèmes. Le pincement du nerf sciatique qui se coince entre les vertèbres est un bon exemple. On voit alors apparaitre une inflammation de ce nerf, causant des douleurs importantes qui se font sentir tout le long de la jambe jusqu'au pied.

Certaines études soulignent que le port des talons hauts conduit également au phénomène de la subluxation vertébrale.
La subluxation vertébrale est une condition où deux vertèbres adjacentes sont devenues désalignées, statiques, bloquées ou restreintes en mouvement. Cette subluxation irrite et empêche la retransmission des signaux nerveux du nerf affecté, à ce niveau vertébral. Lorsqu'un nerf est irrité, il y a réduction du flux nerveux. La subluxation vertébrale empêche le signal nerveux de circuler adéquatement entre votre cerveau et les organes de votre corps.

> *« Les études scientifiques lient les subluxations vertébrales à une abondance de problèmes de santé aussi variés que les maux de tête, les maux de dos, le syndrome du canal carpien et l'infection de l'oreille* [15]*. »*

Rien de très rigolo dans tout cela !

Le cou

Les mannequins ont compris l'importance d'allonger le cou. Les raisons pour lesquelles elles cherchent ainsi les lignes distinguées du cygne sont sans doute d'ordre esthétique. Cependant, il n'est pas inintéressant de constater que cet étirement volontaire est bénéfique pour leur bien-être. Lorsque nous portons des talons hauts, notre corps en déséquilibre cherche tous les moyens pour ne pas succomber à la force de gravité et tomber vers l'avant. Il compense alors en projetant, notamment, la tête vers l'arrière, brisant par la même occasion la ligne verticale et comprimant ainsi les vertèbres cervicales. Douleurs, raideurs et maux de tête sont les conséquences les plus fréquentes de cette compression.

LES GENOUX

L'énorme pression que les genoux subissent lors du transfert de poids vers l'avant peut entrainer de l'arthrose et des maladies dégénératives du genou. Les talons hauts projettent le genou tantôt vers l'avant, tantôt vers l'arrière, accentuant la pression sur des points de tension inhabituels. Les microtraumatismes ainsi provoqués à répétition accélèrent l'usure normale des cartilages, favorisant le développement de l'arthrose.

Il n'est pas rare d'apercevoir des femmes marcher les genoux pliés ou, au contraire, les genoux très tendus. Nous devrions simplement maintenir les genoux souples et libres.

LES MOLLETS

Porter des talons hauts entraîne un raccourcissement des fibres musculaires des mollets. À long terme les muscles ainsi atrophiés s'épaississent et se tendent, causant de la douleur lorsque la porteuse de talons hauts change ses souliers pour des talons plats ou quand elle se balade pieds nus.

LES CHEVILLES

Les talons hauts ont une incidence sur l'équilibre et la stabilité du corps. Ils augmentent les probabilités de faire une chute. Les risques s'accentuent avec l'âge et le surplus de poids. Les blessures fréquentes sont les entorses et les fractures des chevilles. Une cheville faible augmentera les probabilités de blessures, alors qu'une cheville forte et solide les diminuera.

LE TENDON D'ACHILLE

Le tendon d'Achille est le plus gros et le plus solide tendon de l'organisme. Il relie le mollet à la partie osseuse arrière du pied. Les talons hauts provoquent une énorme pression sur le tendon d'Achille. Avec le temps, il se durcit et se raccourcit et peut s'atrophier définitivement. Les tendinites et les micro-ruptures des fils de collagène qui constituent le tendon sont fréquentes lorsque le tendon est

15.   *Spine. 1988, 13 : 542-7*

soudainement étiré ou irrité. Les changements de hauteur des talons ainsi qu'un effort soudain peuvent provoquer des tendinites (du tendon d'Achille). Elles sont à la fois douloureuses et longues à guérir.

Les pieds

La métatarsalgie
On appelle généralement métatarsalgie toute douleur ressentie au niveau de la plante du pied, à savoir dans la région située entre la voûte plantaire et les orteils. La douleur est centrée sur un ou plusieurs des cinq os (métatarses) de cette partie médiane du pied. Plus le talon est haut, et plus le poids du corps est transféré sur la plante des pieds, plus les pieds sont sujets aux métatarsalgies.

La fasciite plantaire ou l'aponévrosite
Le fascia est une membrane fibreuse qui va de l'os du talon jusqu'à la base des orteils. Son rôle est de maintenir l'arche plantaire longitudinale et de participer au contrôle de certaines phases de la marche. La fasciite plantaire est une inflammation causée par un étirement ou une rupture du fascia plantaire. Les chaussures qui soutiennent mal la voûte plantaire et le talon, l'excès de poids, le vieillissement ou le manque de souplesse du mollet sont à l'origine de cette blessure.

Le syndrome de Morton (ou névrome)
Il apparait quand un nerf est écrasé et meurtri entre deux têtes osseuses métatarsiennes. Les chaussures trop étroites ou ayant un bout pointu favorisent l'apparition de douleurs particulièrement vives ressemblant généralement à des brûlures, à des engourdissements ou à une sensation de choc électrique et dont la source se situe plus particulièrement au niveau du deuxième ou du troisième espace métatarsien (extrémité du pied entre la deuxième et la troisième racine des doigts d'un pied).

L'hallux valgus : les oignons
Souvent caractérisé par un renflement de l'articulation et des tissus mous à la base du gros orteil, l'oignon du pied (*hallux valgus*) force ce dernier à se tourner vers l'intérieur et provoque l'inflammation de l'os du gros orteil. L'articulation perd sa souplesse et un amas de cristaux de calcium se forme, créant une bosse très douloureuse.

Les oignons, souvent héréditaires, peuvent être aussi causés par une mauvaise mécanique du pied ou une chaussure mal ajustée, trop petite ou trop serrée. Le frottement de la chaussure sur les oignons est une source de douleur, et rarement l'oignon lui-même.

Les orteils en marteau

L'orteil en marteau est causé par la contraction involontaire et asymétrique des tendons au-dessus et en dessous de l'orteil. À terme, les orteils, et plus particulièrement le deuxième orteil qui est souvent plus long, finissent par ne plus pouvoir se redresser même lorsque le pied est nu. Il se développe alors des cors sur l'orteil causés par la friction sur la chaussure. Porter des chaussures trop serrées ou trop petites contraint les orteils à se recourber et constitue la cause principale des orteils en marteau.

La déformation de Haglund

Les sangles de chaussures, au même titre que les talons rigides, provoquent des irritations qui se traduisent par une déformation de l'os du talon. La déformation de Haglund (également connue sous le nom « *pump bump* » ou « bursite rétrocalcanéenne ») est une tuméfaction douloureuse de l'arrière de l'os du talon qui s'irrite au contact des chaussures.

2 Les petits bobos

Les cors et les cals

Un mauvais alignement des os accentue les frottements de la peau contre la chaussure. Ces frottements répétés produisent de la peau morte qui s'accumule, créant des cals sous le pied et des cors entre les orteils. Les cors, les durillons et les callosités peuvent aussi être le résultat d'une anomalie posturale lors de la marche (appui trop important sur l'avant-pied ou sur la partie extérieure de la plante, par exemple) et/ou du port de chaussures mal adaptées à une marche intensive, comme les talons hauts.

- Pour éviter les cors et les callosités, utilisez régulièrement la pierre ponce.

Les cloques ou ampoules

Les cloques se retrouvent le plus souvent au niveau de l'arrière du talon, mais peuvent apparaitre également près des orteils et même sous le pied. Les chaussures trop petites ou qui frottent sur le pied sont souvent à l'origine de ces cloques.

Les cloques sont molles au toucher, transparentes et renferment un liquide. Elles sont souvent de forme ronde et de diamètre variable.

- Il vaut mieux de ne pas les faire éclater. Le corps produit un liquide pour aider la cicatrisation. Désinfectez et pansez en attendant la cicatrisation.

Les ongles noirs

L'ongle noir est un hématome sous-unguéal causé par un choc direct violent sur tout ongle qui bute contre la paroi de la chaussure. Le sang s'accumule et la pression qu'il entraîne augmente encore la douleur qui devient vite intolérable. L'hématome, à l'origine rouge, passe au noir, et reste visible sous l'ongle. Si rien n'est fait, l'ongle tombera dans les semaines qui suivent et la repousse du nouvel ongle prendra plusieurs mois.

- Si l'ongle suinte, consultez un professionnel afin d'éviter les complications comme les champignons. Ne vous aventurez pas à percer l'ongle vous-même !

Le panaris

Le panaris est une infection d'un doigt ou d'un orteil (plus rare) causée par une bactérie (staphylocoque doré ou streptocoque). Le panaris se trouve à la jonction de l'ongle et de la peau. L'orteil devient rouge, enflé, et douloureux.

- Traitez avec des bains et des pommades antiseptiques ;
- Respectez les règles d'hygiène pour vos manucures ;
- Portez des gants lors du jardinage ;
- Ne rongez pas la peau autour de vos ongles ;
- Ne poussez pas les cuticules qui servent de barrières antimicrobiennes naturelles afin d'éviter la formation de champignons.

Les mycoses

Les mycoses sont des infections provoquées par des champignons microscopiques qui parasitent l'homme et apparaissent généralement entre les orteils. Elles peuvent s'accompagner de démangeaisons. La présence de mycoses aux pieds n'est pas forcément due à une mauvaise hygiène, mais à la transpiration et à l'humidité. La majorité des gens attrapent des mycoses, plus communément connues sous la désignation *pied d'athlète*, en marchant pieds nus sur un plancher mouillé dans un lieu public (par exemple, dans le vestiaire d'un centre sportif).

- Traitez avec un antifongique.

Les pieds qui brulent

Il existe des sprays rafraichissants à la menthe, entre autres, conçus tout spécialement pour ce problème, en parapharmacie ou pharmacie.

- Évitez les matières synthétiques ainsi que les bas de nylon qui augmenteront la sensation de brulure.

Les pieds glacés

- À défaut d'avoir un amoureux prêt à se dévouer, faites dissoudre un bouchon de sel dans de l'eau tiède et laissez tremper vos pieds pendant 10 minutes.

La transpiration et les odeurs

Les pieds transpirent comme le reste de notre corps. Le phénomène de transpiration existe dans le but de réguler la température corporelle. Celle-ci doit être maintenue à une valeur proche de 37 °C.

Lorsqu'il y a augmentation de la température au niveau du pied, les glandes sudoripares de la peau sécrètent de la sueur. La sueur est un liquide qui a donc pour but de refroidir le corps lorsqu'il y a augmentation de la température. Le pied comporte en effet deux sortes de glandes sudoripares :

- Les glandes encrines qui sécrètent surtout de l'eau, laquelle, par évaporation, contribue à la régulation de la température corporelle ;
- Les glandes apocrites qui sécrètent aussi des protéines et des lipides, véritable bouillon de culture pour les bactéries.

Le pied est susceptible, dans certaines circonstances, d'émettre des odeurs qui ne sont pas toujours bienvenues. Les odeurs sont dues à la prolifération de bactéries favorisée par la sueur.

Comme vous n'avez certainement pas envie de laisser derrière vous un parfum aussi peu désirable, voici quelques suggestions afin d'éradiquer les odeurs :

- Trempez vos pieds dans l'eau tiède avec une bonne poignée de menthe fraîche pendant 10 minutes ;
- L'huile essentielle de cèdre ajoutée à de l'eau tiède en bain de pieds peut aussi faire des merveilles.

Voici une liste de produits pour réduire ou éliminer la transpiration et les odeurs.

Pour les pieds

- L'acide borique en poudre, en grains ou pulvérisé ;
- Les anti-transpirants à base de sels d'aluminium qui existent sous forme de lotion ;
- Les gels, les vaporisateurs, les crèmes ou les talcs déodorants et anti-transpirants.

Pour les chaussures

- Les boules déodorantes ;
- Les semelles parfumées à la rose ou à la cannelle ;
- Les semelles antibactériennes et déodorantes ;
- Les aérosols antibactériens comme le LYSOL.

Tout un programme, n'est-ce pas, mesdames ? À lire ces histoires d'horreur, nous serions portées à croire que toutes les femmes du monde préféreraient jeter leurs talons hauts aux ordures ! Eh bien, non ! Rien ne saurait nous décourager. Quoi qu'il advienne, nous continuerons à les désirer et à les porter.

Dans ces conditions, il est impératif de connaitre ce qui peut sérieusement vous empoisonner l'existence. Ainsi, vous serez en mesure de prévenir ou de corriger certaines situations ou comportements, et continuer à vous prévaloir du privilège d'être juchées bien haut mais en toute sécurité.

Mon conseil : Consultez un podiatre au moins deux fois par année. Si vous êtes diabétique, ces visites sont incontournables. Ce professionnel fera le bilan de santé de vos pieds et vous aidera à prévenir les problèmes susceptibles de vous empoisonner la vie. Il saura aussi vous recommander à d'autres corps médicaux au besoin. Leurs soins sont remboursés par la plupart des assurances. Alors pourquoi vous en priver. Vous ne souhaitez tout de même pas ranger vos talons, alors ne négligez pas vos pieds !

3 Le bichonnage, svp !

Combien de minutes ou d'heures par jour consacrez-vous à vous maquiller, à vous coiffer et à vous occuper de chaque recoin de votre corps pour retrouver une peau lisse et douce comme les fesses d'un bébé ? Sur ce temps que vous allouez à vous dorloter et à vous pomponner, combien en réservez-vous pour bichonner vos pieds ?

Hormis la pause vernis à ongles hebdomadaire et le savonnage quotidien obligé, les soins de vos pieds ne font peut-être pas partie de votre rituel beauté. Pourtant, ne sont-ils pas vos plus précieux alliés ? Ne seraient-ce pas ces petits trésors qui vous mènent, vous emmènent et vous promènent, vous accompagnent et vous raccompagnent, vous transportent et vous supportent ? Et vous, que leur donnez-vous en échange de leurs loyaux services ? Mesdames, sans circonstances atténuantes, vous pourriez être accusées de bourreau.

Constamment sollicités et trop souvent comprimés dans des chaussures inconfortables ou inadaptées, vos pieds prisonniers et maltraités souffrent en secret de votre négligence, s'ils ne hurlent pas leur désespoir. Des pieds meurtris sont le signe d'une imprudence qui pourrait vous coûter le privilège de vous hisser sur vos talons. Heureusement, il n'est jamais trop tard pour vous repentir, retrouver votre raison et vous prévaloir de vos obligations de porteuses. Il est donc indispensable de vous occuper de ces petits pieds.

Les bains de pieds

Les bains de pieds sont salvateurs et ont le pouvoir, c'est le cas de le dire, de vous remettre sur pied !

Le soir, après avoir retiré vos chaussures, prenez le temps de les tremper dans un bassin d'eau bien chaude pendant au moins quinze minutes. Bougez vos orteils afin de les dégourdir. Faites aussi des mouvements circulaires avec vos chevilles ainsi que quelques flexions des pieds en amenant les orteils vers le tibia ou en les pointant comme une ballerine. Savonnez et brossez tout le pied, dessus, dessous, incluant le talon, le métatarse et les ongles des orteils avec une petite brosse souple. Vous pouvez ajouter à l'eau des sels marins, des pastilles effervescentes (genre *Eno*) ou des huiles essentielles.

LES HUILES ESSENTIELLES

Les huiles essentielles sont un vrai trésor pour les soins des pieds, mais sachez qu'il ne faut jamais les appliquer sur une peau abimée (plaies, boutons, ampoules...). Pour les utiliser en bain de pieds, mélangez les huiles à une cuillerée de lait ; en massage, diluez-les dans une base neutre (huile d'amande douce ou de jojoba) avant utilisation.

- **Cyprès (cèdre) :** rafraichissant, déodorant et astringent naturel, lutte contre la transpiration des pieds ;
- **Lavande :** action reposante et décontractante ;
- **Citronnelle :** tonifie, rafraichit, débarrasse des odeurs indésirables et de la transpiration ;
- **Menthe poivrée :** décongestionne les pieds fatigués et qui transpirent ;
- **Arbre à thé (Tea Tree) :** combat les odeurs et soulage les attaques fongiques (ongle jauni et pied d'athlète) ;
- **Menthe :** lutte contre les odeurs et tonifie.

LE GOMMAGE À LA PIERRE PONCE

La pierre ponce est cet accessoire de soins étrangement rugueux qui provient des roches volcaniques en fusion. Lorsqu'elle est expulsée, la pierre libère des gaz, ce qui lui donne cet effet poreux après qu'elle soit refroidie. Sa surface abrasive est tout indiquée pour l'exfoliation des peaux mortes et pour adoucir les parties rugueuses des pieds. Enlever le surplus de peaux mortes à la surface de vos pieds leur permet de respirer librement. Après le bain, frottez bien les pieds à l'aide de la pierre ponce. Insistez sur les parties du pied qui auront de la corne, comme les talons ou le métatarse. Rincez, puis séchez bien en n'oubliant pas la zone sensible entre les orteils. Le gommage est sans doute l'un des soins les plus importants mais il est souvent négligé. Pourtant il promet de garder vos pieds tout doux, à l'aspect jeune et en santé.

Mise en garde : Afin d'éviter les blessures, n'utilisez pas les râpes et les lames vendues en pharmacie. Quand la peau est trop épaisse, consultez votre podiatre.

LA COUPE DES ONGLES

Pourquoi y a-t-il encore des femmes qui semblent n'avoir aucun scrupule à exposer des ongles sales, mal entretenus ou définitivement trop longs ? Quel gâchis ! Coupez régulièrement les ongles de vos pieds en privilégiant les ciseaux au traditionnel coupe-ongle. Coupez horizontalement par rapport à la racine de l'ongle et non sur les côtés, pour éviter le risque d'ongles incarnés. Limez le tout pour adoucir les angles.

LE MASSAGE

Qui ne rêve pas de se faire masser les pieds !
J'avais une amie qui m'avoua un jour, non sans une certaine gêne, que son conjoint faisait une fixation sur ses pieds, lui demandant sans cesse de les masser. Malgré l'immense bienfait que ces massages lui procuraient, elle se demandait si cela n'était pas trop étrange. Mesdames, si vous avez l'immense privilège d'avoir un homme qui idolâtre vos pieds et qui souhaite les frotter, les caresser et les dorloter, ne vous posez pas toutes ces questions. Offrez-lui vos trésors et profitez pleinement de cette obligeance. Il vous sera totalement dévoué et vous en serez absolument ravie ! S'il n'y a aucun bon Samaritain dans votre entourage, ne vous privez tout de même pas de ce soin si bénéfique. Utilisez de l'huile de bébé ou un mélange d'huiles essentielles ici encore :

- Prenez un pied entre vos deux mains et glissez vos pouces le long du pied, allant de la cheville vers les orteils, en insistant sur les muscles longs fléchisseurs des orteils et sur les muscles lombricaux qui se terminent entre les orteils ;
- Appuyez et relâchez la pression de vos pouces lorsque vous approchez des articulations qui relient les orteils au pied ;
- Tirez légèrement sur vos orteils en les pinçant délicatement à l'aide de votre pouce et de votre index ;
- Glissez tous vos doigts dans les interstices de vos orteils. Pliez l'ensemble de vos orteils vers le haut et vers le bas.

Si vous désirez faire appel à un professionnel, il existe plusieurs techniques de massages qui assurent une réelle source de bien-être et amène un état de profonde relaxation :

- *le massage aux pierres chaudes d'origine volcanique :* avec ou sans utilisation **d'huile de massage** ;
- *le massage ayurvédique kansu :* un bol fait de cinq métaux, principalement de cuivre, est glissé très lentement sur la plante des pieds enduits de ghee (beurre clarifié) ;
- *le massage shiatsu :* d'origine japonaise, ce massage repose sur la stimulation de points **d'acupuncture** avec la pression des doigts afin d'équilibrer les flux d'énergie et éliminer les tensions ;
- *le massage de réflexologie :* d'origine chinoise, indienne et égyptienne, ce massage vise à stimuler les zones réflexes (chaque pied regroupe 7200 terminaisons nerveuses). Par la pression, le réflexologue transmet une information à l'organisme et relance le courant énergétique.

Certains appareils à massages, plus ou moins coûteux, peuvent être utilisés :

- Appareil vibrant avec boules ou pièces rotatives et vibrantes avec ou sans infrarouge ;
- Appareil en bois avec rouleaux pour stimuler la plante du pied ;
- Bain de pieds à remous avec ou sans infrarouge ;
- Appareil de massage aux pierres chaudes.

L'HYDRATATION

Vous vous crémez religieusement le visage dans la crainte absolue de voir apparaitre une ridule au coin de l'œil ou à la commissure des lèvres. Vous vous tartinez sans doute aussi le corps de lotions de toutes sortes afin de maintenir votre peau souple et douce au toucher. Vous vous enduisez aussi de crème à main afin d'éviter les signes évidents de vieillissement. Mais prenez-vous seulement la peine d'hydrater vos pieds… même le dessous des pieds ? L'hydratation constitue un soin du corps. Les pieds en font partie. Un pied trop sec pourra engendrer des crevasses parfois très disgracieuses et douloureuses que l'on retrouve particulièrement autour de la couronne du talon ou sous le métatarse.

Je suis toujours horrifiée lorsque j'aperçois un pied joliment chaussé d'une sandale, mais affichant de véritables signes de carence : le plus souvent, le talon sera grisonnant et parsemé de crevasses blanches et sèches. Il faut croire que les femmes sont aveuglées par la beauté de leurs chaussures à en oublier leurs pieds. Sinon, comment peuvent-elles prétendre avoir du style ou être élégantes en dévoilant de telles horreurs ? Mesdames, je vous en conjure, regardez vos pieds ! N'abandonnez pas vos précieux alliés et ne laissez pas la négligence détruire ainsi une partie de votre charme.

Sur le marché, il existe une multitude de crèmes très riches, spécialement conçues pour hydrater vos talons endurcis. Cependant, en passant une pierre ponce sur vos pieds et en les hydratant régulièrement, n'importe quelle lotion fera l'affaire.

LE VERNIS

La touche finale est aussi le reflet de votre humeur. Tantôt rouge carmin, bordeaux, corail ou rose tendre, cette coquetterie féminine permet de protéger l'ongle des craquelures tout en ajoutant un peu de gaieté aux orteils sans laquelle les pieds paraitraient bien fades. Le vernis à ongles sert à soigner, mais surtout à embellir vos pieds et à cacher les imperfections de vos ongles.

Le vernis à ongles aurait été inventé il y a 3000 ans avant J.-C. par les Chinois. Les Égyptiens l'auraient également utilisé comme atout de raffinement corporel. Dans l'antiquité, les civilisations chinoise et égyptienne réservaient le vernis à ongles aux classes privilégiées exclusivement. De nos jours, le vernis est offert dans une multitude de prix et de couleurs. Il n'y a pas de règles précises quant au choix de votre vernis, mais pourquoi ne pas oser les tons acidulés l'été et les plus sombres l'hiver ? Sans grande surprise, notez que le vernis rouge ne se démode jamais. C'est donc une valeur sûre ! Mais quel que soit le vernis que vous appliquerez sur vos ongles, il embellira instantanément l'allure de vos pieds et, en prime, il ajoutera une touche « sexy » dont les hommes raffolent.

Recherchez un vernis :

- qui ne laissera pas une coloration sur vos ongles une fois enlevé ;
- qui s'appliquera facilement, sera résistant et durable.

Pour le conserver plus longtemps, rangez-le dans le réfrigérateur. L'air froid lui fait le plus grand bien. Et n'oubliez pas d'appliquer une base avant le vernis afin de prévenir les risques de jaunissement des ongles.

Mise en garde : Le vernis peut camoufler des champignons dont vous ignorez l'existence.

Mon conseil : Faites-vous le plaisir d'une pédicure de temps à autre. Mais assurez-vous que les instruments font l'objet d'un nettoyage strict, incluant leur stérilisation. Mon père médecin me raconta un jour qu'une patiente absolument magnifique, vêtue d'un tailleur Chanel était venue le consulter pour une douleur au pied droit. Il lui demanda de se déchausser afin de l'examiner et de comparer ses deux pieds. Toute gênée, elle refusa d'abord mais céda devant l'insistance de mon père. Quelle ne fut pas sa surprise de constater que cette belle dame avait lavé uniquement le pied malade, laissant l'autre dans une misère désolante. La beauté de cette femme en prit sérieusement pour son rhume !

Si Cendrillon avait eu les pieds dans un tel état, croyez-vous que le Prince lui aurait tout de même fait la cour ?

la cuissarde

L'ART D'ÊTRE
FEMME

VII

« *Aucune grâce extérieure n'est complète si la beauté intérieure ne la vivifie. La beauté de l'âme se répand comme une lumière mystérieuse sur la beauté du corps.* »

VICTOR HUGO

1 L'ÉLÉGANCE

Du haut de son 1 mètre 55, ma mère, une petite brunette pimpante, se maquillait uniquement les lèvres et les ongles d'un rouge écarlate. Toujours au fait des tendances les plus actuelles, elle prenait soin d'agencer chapeau, gants, sac à main et chaussures à ses ensembles de facture classique, auxquelles elle ajoutait une petite touche «*edgy*» qui correspondait sans doute à son côté rebelle. Jamais elle ne fut provocante. La vulgarité ne faisait certainement pas partie de son vocabulaire et encore moins de sa façon de se présenter. À cinquante ans, au début des années 70, elle portait le cuir noir de la tête aux pieds avec autant d'élégance que sa petite robe fleurie du dimanche. L'élégance me fut bien enseignée et j'y attache depuis beaucoup d'importance.

Si l'élégance ne semble pas être particulièrement valorisée dans notre société postmoderne et ultra-sexualisée, sans doute est-ce dû au fait que nous avons mis en veilleuse certaines des qualités et des valeurs résolument féminines pour laisser place à un nivellement par le bas caractérisé par un laisser-aller et une tendance à une vulgarité généralisée. Pourtant, l'élégance contribue de manière exceptionnelle à rendre justice à la beauté féminine et l'éloigne radicalement de la grossièreté. L'élégance trace la voie au raffinement et apporte avec elle la subtilité et la délicatesse afin de s'opposer de façon catégorique à une forme de canaillerie trop souvent implicitement encouragée.

L'élégance est habituellement perçue comme la marque d'une certaine sophistication. Elle se présente sous la forme d'une valeur constructive. Elle vise à établir une certaine cohérence, un certain équilibre entre le souci du détail et celui de l'ensemble. Une harmonie dans l'allure, l'apparence, la gestuelle et l'expression de l'individu.
En quelques mots, l'élégance est un art de vivre mêlant culture, savoir-vivre, authenticité et bonnes manières qui permet à l'individu d'exprimer la façon dont il se définit à travers ses rapports avec les autres. Car c'est dans ses rapports avec les autres que l'élégance prend toute son importance et sa signification : elle élève l'individu.

En nous obligeant à offrir aux autres la forme la plus évoluée de nous-mêmes, l'élégance nous conduit à partager le meilleur de nous avec tous ceux qui nous côtoient. Elle nous porte à cultiver le respect.

L'élégance doit être naturelle, intériorisée et se raffine grâce à l'expérience. Ainsi, seul un travail sur soi permet de l'acquérir et d'en exprimer son originalité. Elle doit projeter avec aisance, et sans effort apparent, l'essence de notre personnalité.

Certaines grandes dames, qui ont marqué leur époque de leur empreinte et qui ont su éveiller en nous le désir de leur ressembler, demeurent de parfaits modèles d'élégance : Cléopâtre, Coco Chanel, Rita Hayworth ou Andrée Lachapelle au Québec, sans oublier la référence légendaire Audrey Hepburn, pour ne nommer qu'elles.

Il existe en toute femme sensible aux valeurs féminines un profond désir de posséder une parcelle du secret qui caractérise ces championnes du raffinement. Ces icônes de la féminité fascinent et forcent autant l'admiration des hommes que des femmes. Elles nous rapprochent de la représentation de la beauté et de l'esthétisme pour nous les rendre accessibles. Elles sont une grande source d'inspiration.

L'ÉLÉGANCE NE SE RÉSUME PAS AUX APPARENCES

Bijoux, vêtements de couturiers, chaussures de designers célèbres, cosmétiques et soins du corps ne peuvent suffire à créer l'élégance. Car l'élégance va bien au-delà des apparences. Ce n'est pas en portant une robe de chez Dior ou de Marie St-Pierre, des chaussures de Jérôme C. Rousseau ou en fréquentant quelque évènement à la mode que nous nous qualifions pour répondre aux critères qui mènent à l'élégance. L'argent, la popularité, le rang social ou même l'intelligence ne garantissent pas notre entrée au Panthéon de ces femmes remarquables. À cet égard, les émissions actuelles de téléréalité nous fournissent un bel exemple des limites de la portée des apparences… et de ce qui est totalement le contraire de l'élégance !

Il est assez facile de comprendre que le succès professionnel, la popularité ou la fortune n'arriveront jamais à camoufler l'ordinaire ni à masquer la grossièreté. L'élégance ne s'achète pas et ne s'emprunte pas, tout comme le bon goût, d'ailleurs. Par contre, elle s'apprend.

« Le luxe est une affaire d'argent ; l'élégance, une affaire d'éducation. » Sacha Guitry

L'authenticité

Je me souviendrai toujours de cette très jolie jeune femme juchée sur treize centimètres de talons, littéralement boudinée dans une robe fuseau en satin jaune, fumant une cigarette à la sortie d'un restaurant. Piaffant pour extirper la douleur que lui causaient ses chaussures, elle agrippait sans cesse le haut de son corsage pour le remonter au-dessus de la ligne de son buste ballonné. Sa posture défaillante, sa démarche pataude et sa gestuelle particulièrement lourde offraient un contraste frappant avec l'image qu'elle souhaitait donner. Une fois sa cigarette consommée, elle replaça ses cheveux ébouriffés par le vent et reprit l'attitude de la femme fatale qui, sans doute, devait faire partie de sa tenue. Elle avait vraisemblablement appris les mouvements, le déhanchement et savait copier l'allure générale du rôle qu'elle avait choisi d'interpréter. *« Combien de temps pourra-t-elle tenir en public sans se trahir ? »* me suis-je demandé.
Malgré tous les efforts que cette jeune femme avait déployés pour se construire un tel personnage, le masque trahissait un manque flagrant d'authenticité. À la moindre inattention et à la plus petite distraction, le subterfuge serait découvert. *L'habit ne fait pas le moine* prenait ici toute sa signification.

À vouloir emprunter l'apparence d'une autre au détriment de son propre corps, à vouloir chausser des talons vertigineux dénaturant sa démarche naturelle, à vouloir imiter les mimiques sensuelles d'une femme fatale imaginaire, elle n'affichait finalement qu'une pauvre parodie d'elle-même. Si cette jeune fille avait trouvé les moyens de se faire confiance, elle aurait sans doute choisi des vêtements qui auraient avantagé véritablement sa silhouette. Sa démarche aurait reflété **sa** féminité. Ses mouvements lui auraient permis d'exprimer harmonieusement **sa** sensualité. Elle n'aurait pas eu à se glisser dans la peau d'une autre et à craindre de faire piètre figure dans son improvisation. Le manque d'authenticité lui a dérobé son charme et l'incompétence lui a ravi sa beauté.

Troquer votre unicité, votre caractère singulier contre une image travaillée et composée ne peut que fausser les relations et induire les autres en erreur. Votre message ne manquera pas de tromper et de décevoir la personne que vous cherchez à impressionner.

L'élégance exige de l'authenticité. Car au-delà de l'apparence générale, il reste l'animation du corps, de l'être et de l'esprit qui font d'une femme, une véritable « dame ». Si j'avais à donner une définition d'une femme élégante, je la résumerais ainsi :

> *Une femme élégante est une femme gracieuse et posée, à l'apparence soignée et de bon goût, dont le comportement et les manières font preuve d'une grande distinction, dont la gestuelle légère et raffinée s'harmonise avec l'ensemble.*

« Mais comment pouvons-nous acquérir de l'élégance ? » me demanderez-vous.

Votre apparence générale est la première chose que l'on remarquera, parfois sans que vous vous en rendiez compte. Les attentions que vous lui aurez prodiguées grâce aux soins que vous apporterez à votre corps, au choix de votre tenue vestimentaire, au style et à la qualité de vos chaussures seront très révélateurs et représenteront les premiers signes détectables de votre charme distingué. Mais comme vous n'êtes pas, fort heureusement, une potiche, votre apparence seule ne saurait suffire à convaincre. Vous devrez nécessairement apporter une touche de raffinement à vos bonnes manières et soigner l'éloquence de votre discours, tout en montrant un parfait contrôle de votre langage corporel. La grâce de vos mouvements et l'assurance qui vous animera valideront vos compétences.

LES PRINCIPES DE BASE DE L'ÉLÉGANCE : L'ALLURE

Votre apparence ne doit jamais être négligée, même dans les moments décontractés. Voici quelques trucs pour faire toute une impression !

Ayez toujours :

- Une allure propre et soignée ;
- Les cheveux coiffés et exempts de traces de repousses ;
- Un maquillage sobre le jour et plus accentué le soir ; attention au fond de teint souvent inutilement trop épais, ou inutile tout simplement ;
- Les ongles parfaitement manucurés et vernis ;
- La peau bien hydratée ;
- Les pieds particulièrement bien entretenus et les ongles propres, coupés et vernis ;
- Un parfum subtil qui effleure et qui n'embaume pas ;
- Une tenue vestimentaire irréprochable et de bon goût, en fonction de votre âge et de l'occasion ;
- Des chaussures sans signes d'usure et parfaitement astiquées ; choisissez un style concordant avec votre habillement et l'occasion ;
- Un petit sac à main le soir ; évitez l'unique fourre-tout et privilégiez des sacs différents ;
- Un mouchoir propre dans votre sac ;
- Une posture et un maintien impeccables ;
- Un port de tête digne ;
- Une attitude posée sans signe d'agressivité ;
- Un visage aux traits doux et dépourvu de mimiques ;
- Une gestuelle souple et discrète ;
- Une démarche légère et gracieuse, jamais pressée ;
- Un ton de voix calme ;
- Une parfaite diction et un vocabulaire approprié ;
- De bonnes manières ;
- Une connaissance minimale des règles d'étiquette et de bienséance ;
- Et ce fameux sourire !

LE DISCOURS

Quelle déception quand le charme et le chic d'une femme se dissipent au moment où elle ouvre la bouche… Ce que vous avez à dire est important, mais il ne faut aucunement négliger la manière de le communiquer. La langue française est terriblement riche, il ne sert à rien de vouloir la réinventer ou de l'appauvrir en copiant les jargons réservés aux adolescents.

- Ayez une parfaite diction;
- Utilisez un vocabulaire approprié et dépourvu de vulgarités;
- Évitez les expressions populaires et les onomatopées;
- Engagez des discussions positives;
- Évitez d'étaler vos états d'âme, vos émotions intimes ou vos problèmes;
- N'attirez pas l'attention sur vous, intéressez-vous plutôt à l'autre;
- Soyez attentive, l'écoute démontre votre bienveillance;
- N'exagérez pas vos propos inutilement, au risque de perdre votre crédibilité;
- Ne coupez jamais la parole;
- Essayez de revenir sur les propos de votre interlocuteur afin de construire et de développer la discussion;
- Ne mobilisez pas la conversation; échangez, écoutez aussi.
- Faites preuve de courtoisie; en présence d'une personne impolie ou grossière, retirez-vous discrètement.

Être une femme élégante implique aussi de posséder un certain savoir-vivre. Si vous savez tirer votre épingle du jeu, votre apparence et votre discours suffiront peut-être à convaincre. Par contre, être dépourvue de bonnes manières et vous employer à un comportement grossier anéantiront irrémédiablement votre entreprise.

LES PRINCIPES DE BASE DES BONNES MANIÈRES

« Les bonnes manières ouvriront des portes que la meilleure éducation ne saura faire. » CLARENCE THOMAS

Les bonnes manières soutiennent ou trahissent l'élégance. Elles découlent souvent de la courtoisie, de la politesse, du respect de l'autre et du simple bon sens.
L'étiquette, de son côté, représente une codification étudiée des bonnes manières que toute femme sophistiquée doit savoir respecter le temps venu. N'oubliez pas que les règles

de l'étiquette diffèrent d'un pays à l'autre. Ne portez aucun jugement concernant ces différences. Soyez respectueuse et adaptez-vous.

En public

- Évitez de bâiller ou de vous moucher ;
- Évitez les rires bruyants et à gorge déployée ;
- Ne mâchez jamais du chewing-gum ;
- Évitez de gigoter sans cesse des mains ou de piaffer des pieds ;
- Évitez de vous recoiffer, d'appliquer votre rouge à lèvres ou de rajuster vos vêtements ;
- Regardez votre interlocuteur dans les yeux sans toutefois insister ;
- Ne pointez jamais du doigt ;
- Utilisez le vouvoiement en toute occasion, jusqu'au moment où on vous invite à faire autrement ;
- Ne refusez jamais la galanterie et laissez monsieur ouvrir la porte, retirer votre manteau ou vous servir à boire…
- Adressez-vous à vos interlocuteurs par monsieur ou madame et jamais directement par le prénom sans être invitée à le faire ;
- Lorsqu'on vous présente à quelqu'un, répétez le nom de la personne en lui disant que vous êtes enchantée de cette rencontre ;
- Évitez les questions très personnelles ;
- Abusez abondamment des : *je vous remercie, s'il vous plait, excusez-moi, je vous demande pardon, je vous en prie, vous êtes bien aimable* ;
- Tenez votre verre de la main gauche afin de libérer la droite ;
- Ne faites aucun abus d'alcool ou de substances hallucinogènes quelles qu'elles soient ;
- Ne donnez jamais votre carte professionnelle sans l'avoir préalablement offerte verbalement ou qu'on vous l'ait demandée ;
- En qualité d'invitée, n'oubliez pas d'apporter un petit cadeau à l'hôtesse, ne serait-ce qu'un bouquet de fleurs ;
- Si vous devez répondre au téléphone cellulaire, soyez discrète et écartez-vous du groupe en vous excusant ;

- Soyez toujours polie et apprenez les bonnes manières ;
- Avoir des bonnes manières suppose d'accepter les mauvaises des autres ;
- Ne soyez pas médisante envers les employés, les préposés aux service ou les domestiques ;
- Usez de diplomatie sans modération.

À TABLE

- Attendez qu'on vous assigne une place avant de vous asseoir ;
- Ne refusez jamais la galanterie et laissez monsieur tirer et pousser votre chaise ;
- Attendez que l'hôte vous invite à manger ;
- La serviette doit être posée sur vos genoux ;
- Si vous devez quitter la table temporairement, placez la serviette sur votre chaise et excusez-vous ;
- À la fin du repas, posez la serviette, pliée, sur le côté gauche de votre assiette ;
- Apprenez l'utilisation de chacun des couverts ; si vous hésitez, imitez l'hôtesse ;
- Ne vous penchez pas vers votre nourriture mais portez-la à votre bouche ;
- Le verre à vin blanc se tient par la tige, et sous la coupe pour le rouge ;
- On ne redemande jamais à se faire resservir du vin ;
- On sert à droite et on dessert à gauche ; facilitez la tâche de la personne qui fait le service ;
- Lorsque terminé, posez vos couverts dans l'assiette dans une position équivalente à 4 heures ;
- Ne parlez jamais la bouche pleine ;
- Ne faites aucun bruit en mastiquant ou en buvant ;
- Prenez de petites bouchées que vous couperez à mesure ;
- Ne soufflez jamais sur votre nourriture pour la refroidir ;
- Ne touchez jamais vos cheveux à table.
- Ne posez jamais vos coudes sur la table.
- Éteignez votre cellulaire ou mettez-le sur mode vibration ;
- Ne prenez jamais un appel en compagnie d'invités ; retirez-vous si vous le devez ;

- Ne négligez pas vos voisins de table, engagez la conversation ;
- Assurez-vous de complimenter votre hôte à la fin du repas.

Sachez que l'élégance est un atout rare et précieux. Elle demeure un passeport universel qui suscite le respect et l'admiration.

- Aimez-vous d'abord ;
- Développez et affichez votre assurance ;
- Respectez votre corps et votre apparence ;
- Éduquez-vous, lisez, informez-vous ;
- **Embrassez votre féminité.**

2 La féminité

Dans toute femme réside l'essence de la Féminité. Au-delà des évidences naturelles se rapportant à notre sexe et à nos fonctions de procréatrices, à notre physionomie particulière, toute en rondeurs et en courbes, il existe des valeurs fondamentalement féminines inhérentes à l'essence de la femme et qui lient intimement les femmes entre elles : la douceur, la compassion, l'amour, la beauté, la grâce, la paix, le pardon, la dévotion et la création sont des traits universels et naturellement associés à la femme, sans pour autant lui être exclusifs.

Certaines fillettes naissent avec des prédispositions, comme si elles avaient été choyées par leur bonne fée. D'autres ont l'opportunité de copier certains comportements féminins en suivant l'exemple d'une mère ou d'une tante. D'autres encore pratiquent des activités comme la danse, la gymnastique ou le patin artistique, qui forment le corps à une gestuelle et à une façon de se mouvoir qui se marient bien à une apparence féminine.

À une autre époque, on formait même les filles aux arts et aux lettres, signes érudits de la féminité, ou encore à l'art d'être une parfaite épouse, autre signe lointain d'une certaine féminité qui faisait appel davantage aux qualités intérieures de la femme. La féminité peut donc se décliner sur plusieurs niveaux, tant intérieurs qu'extérieurs. Elle peut même faire l'objet d'un apprentissage savant et adapté à un modèle de société.

Nous l'avons vu, nous vivons actuellement au cœur d'une société qui valorise l'image plus que tout autre attribut féminin et qui contraint les femmes à se définir par rapport à une représentation esthétique qu'on leur impose, sans toujours faire appel à la féminité profonde qui les habite.

À l'heure actuelle, la reconnaissance de la féminité se fait donc par le biais de créateurs d'images : mode, publicistes, médias. Ceux-ci favorisent et créent les repères visuels et contextuels qui vont constituer les fondements mêmes de la représentation de la femme dans l'inconscient collectif et qui répondent évidemment aux critères de l'imaginaire masculin.

L'apparence du corps prend alors le dessus sur l'essence féminine et sert à peindre les traits de la féminité sous une forme presque caricaturale. L'image construite et projetée s'impose au détriment de l'être, réduisant ainsi la féminité à une simple allégorie : le rouge appliqué sur les lèvres, la dentelle posée sur le corps, les talons hauts allongeant la jambe et accentuant la courbure des reins, et une chevelure luxuriante déboulant sur les épaules deviennent autant d'indicateurs représentatifs de la féminité.

FEMME OU OBJET

Il semblerait que nous assistions actuellement à un revirement tout aussi inattendu que surprenant dans le comportement des femmes. Comme sous l'emprise de l'hypnose, ou plutôt d'un accident ayant entraîné une amnésie temporaire, les jeunes femmes semblent avoir mis au rancart tout le travail des féministes et acceptent sans trop rechigner de se plier à la dictature de l'image menée par le biais des hommes. Si les féministes des années 60 et 70 ont su dénoncer à juste titre l'utilisation de la femme en tant qu'objet sexuel, celles-ci doivent être épouvantées de constater que la femme des années 2010 est présentée une nouvelle fois comme un objet et, pire encore, comme un objet de consommation :

Si je ne ressemble pas à cet objet, je ne suis pas une femme, je ne peux pas me sentir femme, car le regard de l'homme ne se posera pas sur moi. Si l'homme ne me désire pas, je n'existe pas.

Plus grave encore, avec l'avènement de la pornographie qui s'affiche à tout vent et le phénomène du porno-chic qui en découle, nous assistons à l'**avilissement** de la femme et de son image comme nous ne l'avions encore jamais vu. Cette nouvelle représentation décadente et dépravée de l'image de la femme menace nos acquis sociaux et chamboule également notre perception de ce qu'est la féminité.
Les repères sont ici bouleversés. L'image de la femme et les valeurs féminines se trouvent être dénaturées et perverties par les colporteurs de fantasmes masculins.

D'une part, nous souhaitons préserver l'aboutissement des efforts et des sacrifices de nos mères et grand-mères afin de valoriser le statut de la femme et en améliorer la condition et, d'autre part, nous acceptons une image dégradante de la femme. Celle-ci étant vidée de ses valeurs et subissant les comportements sexistes des hommes.

Prise en sandwich entre des courants de pensée opposés, la femme contemporaine et postmoderne doit composer avec l'image que l'homme projette d'elle et qu'il aimerait lui imposer, et sa propre identité qu'elle a du mal à définir. Serions-nous en train de déposséder la femme de son essence ? Si nous attribuons la féminité uniquement au corps de la femme et à la manière dont elle le présente, l'habille, le chausse, le soigne et l'offre, ne sommes-nous pas en train de tuer le véritable féminin ?

Si tous ces artifices sont des outils fantastiques pour dévoiler la féminité, il faut savoir qu'ils ne sont que sa parure, sa touche finale et que, de toute évidence, la féminité ne peut se résumer à une jolie coquille vide. Si *a priori* elle se présente sous les traits de l'esthétisme, d'une allure élégante et d'une gestuelle gracieuse, il ne faut jamais oublier qu'elle s'inscrit surtout dans l'autoréalisation de la femme. C'est à partir de la découverte et de la conquête de soi que la femme pourra s'écarter des modèles imposés, ignorer les pressions sociales pour enfin exprimer sa profonde et véritable féminité.

3 La Féminité et l'estime de soi

Sartre a écrit : « *L'enfer, c'est les autres.* »

Si l'enfer est bel et bien dans le regard des autres, et que ce regard est influencé par les courants de la mode et les références culturelles, alors peu d'élues vivent au paradis. Est-il possible de faire abstraction du regard des autres et être absolument soi-même ?

La femme veut plaire. Il semblerait que cela soit inscrit dans ses gènes. La femme a besoin de la reconnaissance de l'autre, et de celle de l'homme en particulier. Son incessante recherche à éveiller l'attention et le désir module ses comportements, ses habitudes et l'encourage à adhérer aux modes qui autrement seraient ignorées ou n'existeraient tout simplement pas.

Se sentir désirable nourrit l'ego de la femme à un point tel qu'il lui est impossible de résister même aux plus grands changements qu'on veut lui imposer. Nous souffrons de vivre au cœur de ce manège individualiste où la logique s'imbrique ainsi : ego, culte de la beauté, solitude de l'âme et peur de la mort, c'est-à-dire crainte de se retrouver face à son moi intérieur ! Et pendant que nous renonçons à nous-mêmes, nous nous efforçons tant bien que mal de construire notre estime de soi. Quelle absurdité !

La perfection est-elle essentielle pour que nous acceptions de nous aimer ? Vous n'êtes pas parfaite, vous ne le serez jamais. Ni moi, ni votre copine, ni votre mère, ni votre voisine, ni même la reine de Sabbat !

Et même si vous ne ressemblez pas à un bel ange de Victoria's Secret, je vous promets que la terre ne s'arrêtera pas de tourner, que votre amoureux continuera à vous aimer et que vos amis(es) et collègues ne remettront pas vos compétences en question. Il existe ce parfait équilibre entre être absolument soi-même et la fabrication totalement artificielle de son image. Se sentir à la fois dans le coup et bien avec soi est possible.

Petits principes de psychologie

Se construire en tant qu'individu fait appel à trois éléments fondamentaux : **l'estime de soi, la confiance en soi et l'affirmation de soi**. Voyons chacun de ces points.

L'ESTIME DE SOI : MIEUX S'AIMER

L'estime de soi est la capacité de se respecter et de s'aimer. Pour y arriver, il faut croire en nos compétences, en notre intégrité, en notre valeur et en notre capacité d'être aimée. Avoir une faible estime de soi sous-entend que nous ne nous aimons pas, ou peu ; que nous ne nous sentons pas importantes, ou peu importantes ; ou encore que nous nous estimons de peu de valeur. C'est le jugement de valeur global que nous portons sur nous-mêmes.

- Je ne vaux pas grand-chose ;
- Je ne m'aime pas ;
- Je ne me sens pas importante ;
- Je ne plais à personne ;
- Je ne suis pas séduisante.

Se construire, c'est apprendre à exister en tant qu'individu et à agir selon les valeurs qui nous sont propres. Il est important de taire la petite voix en nous qui critique et qui nous empêche d'être la femme que nous sommes et que nous désirons voir évoluer. Il faut prendre conscience que chaque femme est unique. Et être unique, c'est terriblement précieux !

J'AI LE DROIT D'EXISTER
- Je m'autorise à avoir des émotions ;
- Je m'autorise à avoir des besoins ;
- Je m'autorise à avoir des désirs et à les réaliser.

J'AI LE POUVOIR D'ÊTRE
- Je désire être importante aux yeux de ceux que j'aime ;
- Je veux être acceptée ;
- Je veux être aimée.

JE RESPECTE CE QUE JE SUIS
- Je suis fidèle à moi-même ;
- Je veux découvrir mon identité, celle qui m'est propre et distincte.

JE VEUX POUVOIR FAIRE CE QUI ME PLAIT
- Je maitrise mes fonctions intellectuelles ;
- J'étudie, je m'informe, je prends connaissance ;
- J'analyse, je compare, je comprends ;
- Je forme mes propres opinions ;
- Je reste objective par rapport à ce qui m'entoure.

J'ACTUALISE, JE METS À JOUR, JE PERSISTE
À AMÉLIORER ET À EXPRIMER

- Mon potentiel physique : je prends soin de mon corps ;
- Mon potentiel intellectuel : je lis, je discute, j'échange.
- Mon potentiel artistique : je m'exprime à travers une activité qui me plait.

J'AMÉLIORE MON APPARENCE,
JE CULTIVE MON CAPITAL ÉROTIQUE

- Mon style : mon habillement, mes chaussures ;
- Mon langage ;
- Ma coiffure, mon maquillage, etc.

En attachant de l'importance à vos désirs et vos besoins, en cherchant à comprendre ce qui vous anime et ce qui vous procure satisfaction et bonheur, en explorant toutes les facettes qui vous distinguent, vous serez en mesure de construire votre estime de soi. En acceptant votre unicité, en valorisant l'individu particulier que vous êtes, vous n'aurez plus à imiter ou à désirer être une autre que vous-même et vous érigerez franchement la femme que vous êtes.

La confiance en soi : osez agir

« *La confiance en soi est beaucoup plus qu'un simple rouage de notre fonctionnement mental : elle est au cœur d'une pyramide qui repose, à la base, sur l'estime de soi, acquise dès notre plus jeune âge, et s'extériorise, au sommet, par l'affirmation de soi. C'est donc un élément fondamental de notre personnalité. Ce qu'on prenait autrefois pour un trait de caractère inné n'est pas une fatalité ; il est possible de changer, il est possible d'avoir confiance en soi, même si l'on a l'impression que cela n'a jamais été le cas* [16]. »

Il s'agit donc des compétences personnelles, c'est-à-dire de notre capacité à agir, à décider, à effectuer et à mener à terme des projets.

---

16. Fanget, Frédéric. *Oser – Thérapie de la confiance en soi*. Paris, Éditions Odile Jacob, 2003

Ce qui nous freine

- Je ne serai jamais capable ;
- Je ne serai pas à la hauteur ;
- Je crains d'être ridicule.

Caractéristiques de la confiance en soi

- La confiance existe dans notre esprit ; *« Je sais que je peux… »*
- Elle s'appuie sur notre expérience accumulée ; *« J'ai déjà fait quelque chose de semblable… »*
- Elle se développe à partir de nos ressources : expérience, capacité à trouver des solutions, à faire de notre mieux : *« Je vais essayer, je suis aussi bien qu'une autre, je suis en forme, je suis capable… »*
- Elle s'applique à un ou des domaines particuliers : *« Je ne suis pas experte là mais ici, oui… »* La confiance en soi n'est jamais globale ou générale mais toujours spécifique ;
- Elle est temporaire, elle n'est jamais acquise définitivement. *« Je n'ai pas fait cela depuis des mois, j'ai perdu confiance ; je devrai donc pratiquer avant d'entreprendre à nouveau… »*

Ce qui facilite la construction de la confiance en soi

- Il faut nous impliquer activement afin de prendre de l'expérience ;
- Il faut évaluer nos échecs et en tirer des leçons, comprendre les causes et corriger nos erreurs ;
- Il faut varier les expériences, ne pas nous limiter à ce que nous connaissons ;
- Il faut chercher les meilleures solutions à partir de ce que nous savons ;
- Il faut calculer les risques, ne pas nous lancer aveuglément dans des situations trop difficiles pour les moyens que nous avons ;
- Il faut augmenter progressivement le niveau de difficulté et l'importance du risque.

Le développement de la confiance en soi se fait dès notre petite enfance, mais il ne se résume pas à notre éducation. Nous avons le pouvoir d'entreprendre ce développement à n'importe quel moment de notre vie. En nous appuyant sur notre vécu, en osant repousser progressivement nos limites et en respectant la personne que nous sommes, nous pouvons apprendre à nous aimer davantage, à développer notre confiance en soi et à nous affirmer pour ainsi explorer pleinement tout notre potentiel.

Apprendre à porter les talons hauts est un outil formidable pour renouer avec soi, se réconcilier avec son être féminin et développer sa confiance en soi. Maitriser votre marche, jouer de votre démarche et exprimer vos intentions avec grâce et élégance vous rapprochera de votre féminité et vous permettra de vous affirmer auprès des autres.

L'AFFIRMATION DE SOI : FACE À L'AUTRE

Avoir une haute estime de soi ou une très grande confiance en soi ne serait guère utile sans interaction avec les autres. Tous les jours nous sommes confrontées à des situations qui nous obligent à entrer en relation avec autrui, que ce soit au travail, à la maison, au terrain de soccer ou sur la piste de danse. Les rapports que nous entretenons avec les autres nous permettent de consolider notre estime de soi et surtout d'asseoir notre confiance en soi. En exprimant nos besoins, nos mécontentements et nos craintes, en dévoilant nos désirs, nos attentes ou nos plaisirs, nous déclarons à l'autre que nous existons et que nous avons de la valeur. En nous affirmant, nous montrons à l'autre que nous avons des compétences et que nous sommes une personne digne de respect.

Mais, surtout, l'affirmation de soi nous procure un sentiment de maitrise et de liberté qui nous donne des ailes !

Osez porter vos talons hauts et affirmez votre féminité ! Mesdames, vous êtes absolument magnifiques !

l'escarpin noir

4 La galanterie

Vous connaissez maintenant très bien les préceptes de *« l'Art de porter les talons hauts »*. Vous vous êtes forgée de réelles compétences et vous vous amusez du sentiment de pouvoir que vous procure le fait d'être juchée. Vous vous sentez confiante et certainement un brin charmante. Vous arrivez peut-être même à provoquer quelques torticolis chez ces hommes pris d'admiration pour votre élégance. Je vous félicite !

Il est donc temps d'inviter ces messieurs à faire preuve de galanterie et ainsi rendre hommage à votre féminité.

La galanterie ? Mais qu'est-ce que la galanterie ?

Peut-on vraiment faire usage de galanterie dans notre société contemporaine ?

Cette tradition galante a presque disparu de la vie courante et peu d'hommes de nos jours affichent une telle sollicitude auprès des femmes. C'est bien dommage, à mon avis. Ces bonnes manières enjoignaient les hommes à adopter une attitude bienveillante envers la gent féminine, leur permettant de montrer leur appréciation et leur respect.

Si nous sommes aujourd'hui parfois témoins de ces délicatesses chez les couples d'une certaine génération, les plus jeunes sont peu nombreux à avoir reçu une telle éducation. **Car la galanterie s'apprend au même titre que l'élégance !**

> *« Les manières d'un homme sont un miroir dans lequel il montre son portrait. »* Johann Wolfgang Von Goethe

Lorsque j'encourage les jeunes femmes à se *« laisser faire »* et à se *« laisser gâter »* lors d'une sortie spéciale avec leur cavalier, la plupart me répondent qu'elles n'ont besoin de personne pour les aider à s'asseoir ou pour leur ouvrir une porte ! Elles disent être fières de pouvoir se débrouiller toutes seules.

Ah ! mesdames, je n'en ai jamais douté. Là n'est pas la question.

Malheureusement, nous, les femmes, sommes en partie responsables de ces réactions plutôt asociales et dépourvues du moindre sens de civilité en entretenant l'idée que ces attentions encouragent l'inégalité entre hommes et femmes ou encore qu'elles nous mettent dans une position de subalternes! Comme si le fait de se faire traiter avec attention et délicatesse anéantissait tout le travail des féministes. Il ne faut pas tout confondre. Revendiquer l'égalité des droits entre hommes et femmes est une chose, rejeter en bloc les relations courtoises et polies en est une autre.

Dans la langue classique, galanterie signifie distinction, élégance dans les manières. Pour ma part, je considère que la galanterie est un véritable hommage à la féminité. Elle nous éloigne des comportements parfois grossiers et dépourvus de respect auxquels nous assistons constamment dans les relations hommes/femmes.

LA GALANTERIE ET LES TALONS HAUTS

« *La galanterie, c'est l'art de mettre une femme en valeur.* »
PROVERBE POPULAIRE

Messieurs, sachez que porter des talons hauts est une entreprise périlleuse. La plus grande difficulté à laquelle nous sommes confrontées lorsque nous grimpons sur ces échasses est de nous maintenir en parfait équilibre.

Une femme normalement constituée sera ravie de vous savoir prêt à lui tendre la main! Il vous appartient de comprendre comment agir avec tact en parfait gentleman. Votre rôle principal va consister à servir de soutien. Vous devrez adopter la fonction de pilier, de point d'appui, et offrir en tout temps un support stable et indéfectible à votre compagne *alto-calciphile* [17].

Voici quelques exemples de situations concrètes que nous rencontrons régulièrement et où votre collaboration sera plus qu'appréciée.

EN VOITURE
Entrée
- Ouvrez-lui la porte. Cela semble évident, et pourtant…
- Tendez le bras ou la main afin qu'elle s'y accroche au besoin;
- Penchez-vous pour ramasser le coin de son manteau afin d'éviter qu'il ne touche le sol;
- En hiver, dirigez le chauffage vers ses pieds.

17. *fétichiste de talons hauts*

Sortie

- Ouvrez-lui la porte ;
- Tendez votre bras ou votre main et laissez la femme se hisser hors de la voiture ;
- Vous la tirerez vers vous seulement si elle vous le demande.

Dans les escaliers

Descente

- Placez-vous devant elle sur la marche inférieure ;
- S'il n'y a pas de main courante et que l'espace le permet, placez-vous sur une marche inférieure et tendez-lui la main en guise de soutien.

Montée

- L'usage veut que l'homme se place devant la femme et précède la montée afin de ne pas se retrouver le nez dans ses jupons ;
- Personnellement je préfère que l'homme se place derrière moi sur la marche inférieure, au cas où je perdrais l'équilibre, il saurait me rattraper ;
- S'il n'y a pas de main courante et que l'espace le permet, placez-vous à ses côtés et tendez-lui le bras ou la main en guise de soutien.

En marchant

- Avant d'entreprendre une marche, informez-vous si ses talons lui permettent une longue ou une courte marche ;
- Placez-vous toujours du côté de la rue ;
- Offrez votre bras en soutien ;
- Accordez la longueur et la vitesse de votre pas au sien, et non l'inverse. En talons, elles sont d'autant réduites ;
- Évitez les courses à obstacles autant que possible : pavé uni, chantier de construction, surfaces glissantes ou inégales, sols trop mous.

Au vestiaire

- Offrez-lui de tenir son sac quelques instants si elle est encombrée (non, vous n'aurez pas l'air ridicule mais prévenant) ;
- Enlevez-lui son manteau et remettez-le-lui ;
- Invitez-la à s'asseoir pour enlever ou remettre ses bottes ;
- Au besoin, aidez-la à enlever ses bottes. Placez une main sur le haut du talon et l'autre sur le cou-de-pied. Faites attention de ne pas lever

sa jambe, c'est plutôt vous qui devez vous placer à son niveau ;

- Offrez-lui d'attacher les sangles, elle évitera ainsi de se pencher ou de lever la jambe.

À TABLE

- Tirez-lui sa chaise au début et à la fin du repas.
- Au besoin, tendez-lui le bras ou la main pour qu'elle se lève avec une plus grande aisance.
- Offrez-lui votre bras ou votre main afin qu'elle se lève ou s'assoie si les canapés sont bas.

L'EXTRA

- Offrez-lui de masser ses pieds après ce fameux cocktail ou une soirée à la discothèque. Cela pourrait être un beau préambule à l'amour…

L'image du chevalier déposant sa cape de velours au sol afin de protéger les pieds de la comtesse n'est pas si étrangère aux galanteries modernes. Mais rassurez-vous, messieurs. Nous ne vous demanderons pas d'étaler votre veston Gucci sur les grilles du métro, mais peut-être pourrez-vous nous prendre dans vos bras, le temps de traverser l'obstacle ?

Trop souvent ignorées, toutes ces galanteries ont pourtant fait leurs preuves pendant des siècles… S'il est toutefois bien difficile de nous en prévaloir au quotidien, nous en priver totalement nous dépouillerait certainement de quelques privilèges qui servent à bonifier les relations et à élever les rapports entre hommes et femmes !

le peek-a-boo

CONCLUSION

« On n'a rien inventé de mieux que les talons pour magnifier de belles jambes ou sublimer des jambes magnifiques. »

STUART WEITZMAN

Le pied féminin fascine et ne cessera de fasciner en raison de son caractère résolument érotique. Associé au phallus depuis des siècles, cette partie de notre anatomie représente bien plus qu'un simple instrument servant à nous mouvoir ou à nous tenir érigées. Doté de milliers de terminaisons nerveuses lui prêtant des propriétés érogènes, il s'approprie sans scrupules le plaisir des attentions qui lui sont accordées.

Les créateurs déifiés l'habillent, le recouvrent et le découvrent, l'enveloppent, l'emballent, l'emmaillotent, l'harnachent, l'enrubannent, le ligotent, le hissent et parfois l'emprisonnent afin de provoquer l'admiration du voyeur et prolonger l'ivresse du fétichiste avide de jouir des promesses voluptueuses annoncées.

La femme, quant à elle, s'amuse de ce manège en profitant du pouvoir que la chaussure lui procure, flattant par la même occasion sa propre vanité. Femme docile, femme de tête, mère ou maitresse, diva ou nymphette, inscrivent de leurs pas montés l'assurance de leur féminité.
Dans leur quête d'exalter le désir qui s'attache à leur pied, certaines femmes accepteraient d'entretenir une relation quasi masochiste avec les artifices qui le décorent.

L'ardeur de l'attrait aphrodisiaque de ce pied accoutré embrouillerait leur raison et les obligerait à supporter certaines aberrations. Corps meurtris, larmes cinglantes, soupirs lancinants, autant de souffrances pour combler la passion de toutes ces alto-calciphiles. La beauté du pied surélevé doit-elle fatalement s'accompagner de sévères tourments?
Celle qui maitrise ses talons hauts n'en est jamais l'esclave et encore moins la victime.
Elle les dresse, les discipline, les mate, les possède et les utilise comme outils de son émancipation et parfois même comme accessoire de séduction.
Armes redoutables à double tranchant, ces précieux joyaux, comme autant d'objets d'asservissement ou d'affranchissement tributaires du savoir-faire de leurs maitresses, serviront ou desserviront la cause de ces Aphrodites.

Si l'habileté, la confiance, l'élégance et le raffinement permettent de distinguer les victorieuses des subalternes, porter les talons hauts ne saurait en aucun cas être réservé à la fine fleur des femmes.

Page après page, cet ouvrage s'est appliqué à vous convaincre de vous hisser fièrement sur ces talons sublimes. En démystifiant l'objet lui-même et en identifiant les messages qu'il peut évoquer, les talons hauts se présentent dorénavant comme un instrument au service de la femme que vous êtes.

Rehausser son image, travailler sa posture, ennoblir sa gestuelle, exalter sa féminité revient à refuser d'être une femme ordinaire et d'afficher un discours trompeur. Bien au contraire, c'est choisir d'être une femme authentique dont la grâce couronne la beauté sophistiquée qui vous distingue de toute autre femme.

Je vous admire, majestueuses gazelles. L'éloquence de votre discours et la finesse de votre allure sont remarquablement inspirantes. Juchées sur vos talons hauts, vous êtes désormais l'image même de la femme élégante!

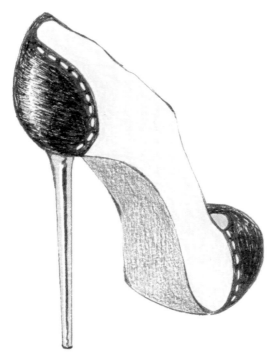

le talon aiguille

BIBLIOGRAPHIE

ANGIER Natalie
Femme! De la biologie à la psychologie, la féminité dans tous ses états
Éditions Robert Laffont, Paris, 2000

BERTHERAT Thérèse, **BERNSTEIN** Carol
Le corps a ses raisons
Seuil, Paris, 1976

CLARKE Michaela
Ashtanga Yoga for beginners
Gaïa Books, London, 2006

COX Caroline
Shoes vintage : Collections et créations des designers du XXe siècle
KLS Éditions, Paris, 2006

BRENNAN Richard
The Alexander Technique manual, Take control of your posture and your life
Connection Books Publishing Limited, London, 2004

IDE Pascal
Le corps à cœur
Éditions Saint-Paul, Versailles, 1996

FELDENKRAIS Moché
La conscience du corps, Traduction
Éditions Robert Laffont, Paris, 1971

FANGET Frédéric
Oser. Thérapie de la confiance en soi
Éditions Odile Jacob, Paris, 2003

HAKIM Catherine
Honey Money. The Power of Erotic Capital
Pengouin Books Ltd, London, 2011

HEYRAUD Bertrand
5000 ans de chaussures
Editions Parkstone, Bournemouthe, 1994

LAFORGE Valérie
Talons et tentations
Les Éditions Fides, Anjou, 2001

MARIEB Elaine N., **HOEHN** Katja
Anatomie et Physiologie humaines
ERPI, Saint-Laurent, 2010

McDOWELL Colin
Haute pointure. Une histoire de la chaussure
Thames & Hudson SARL, Paris, 1989

O`KEEFFE Linda
Shoes, A celebration of pumps, sandals, slippers & more
Workman Publishing Company, Inc., New York, 1996

PASINI W., BALDINI M. T.
Les 7 Avantages de la beauté
Odile Jacobs, Paris, 2006

PATTISON Angela, **CAWTHORNE** Nigel
Un siècle de chaussures. Reflets des styles du XXe siècle,
Quantum Books Ltd., London, 2001

PAUL Tessa
Shoes, the ultimate accessory, Compendium
Publishing Ltd, London, 2010

REICH W.
La fonction de l'orgasme
L'Arche, Paris, 1970

RIOT-SARCEY Michèle
Histoire du féminisme
Éditions La Découverte, Paris, 2008

RIELLO Giorgio, **McNEIL** Peter
Shoe, A history from sandals to sneakers
Berg, Oxford, 2006

ROSSI William
Érotisme du pied et de la chaussure
Éditions Payot, Paris, 1978

ROUX Jean-Paul
La chaussure
Hachette, Paris, 1980

STEELE Valérie
Chaussures, Langages du style
Éditions du Collectionneur, Paris, 1999

ANNEXES

Les 7 commandements de la juchée

J

I   *e respecterai le principe de la verticalité… en tout temps.*

II   *Je prendrai soin de mon corps et le traiterai avec considération.*

III   *Je réfléchirai toujours avant d'agir.*

IV   *Je ferai toujours attention à bien respirer.*

V   *J'avancerai d'un pas lent mais assuré.*

VI   *La grâce et l'élégance constitueront mes meilleures alliées.*

VII   *Ma sensualité et mon sex-appeal seront au service de ma féminité.*

lES 18 CONSEils éClAiR

1   N'achetez jamais de chaussures qui vous font souffrir.

2   Prenez le temps de bien essayer vos chaussures avant de les acheter.

3   Choisissez des chaussures selon la taille et la morphologie de vos pieds.

4   Choisissez vos talons hauts selon les circonstances ou occasions. Respectez les codes vestimentaires et de bienséance.

5   Privilégiez le cuir à toute autre matière. Le cuir se moule et s'adapte plus facilement à vos pieds. Les matériaux comme la toile absorbent les mauvaises odeurs alors que les matières synthétiques favorisent la transpiration excessive.

6   Bourrez de coton le bout pointu de vos chaussures pour les protéger.

7   Insérez une semelle de cuir dans vos chaussures afin d'en améliorer le confort.

8   Évitez les stilettos de douze centimètres si vous êtes débutante. Privilégiez les chaussures plus stables comme celles avec des semelles compensées ou les talons plus larges ou moins hauts.

9   Ayez toujours une paire de chaussures de rechange avec vous… ou un chauffeur.

10   Dorlotez vos pieds: bain, exfoliation, lotion hydratante et pierre ponce réduiront la formation de peau épaisse, inconfortable et inesthétique.

11   Offrez-vous une pédicure de temps à autre. Laissez aux podiatres la tâche de soigner toutes les catastrophes !

12 Massez vos pieds à chaque fois que vous enlevez vos chaussures afin de faire circuler le sang et soulager les crampes.

13 Étirez tendon d'Achille et muscles des mollets afin d'éviter leur raccourcissement.

14 Assouplissez vos articulations. Le mot d'ordre ici est : rotation.

15 Renforcez votre musculature afin de stabiliser votre démarche et corriger une mauvaise posture.

16 Entrainez-vous en marchant devant un miroir ou, encore, dans les rayons des supermarchés en prenant appui sur la barre d'un panier sur roulettes.

17 Appliquez religieusement les 7 *commandements de la juchée*.

18 Gardez la tête haute et soyez confiante ! Vous devez vous sentir irrésistible. Il n'y a rien de plus sexy qu'une femme pleine d'assurance juchée sur des talons aiguilles !

21 paires de chaussures à avoir dans son placard

L'ESCARPIN NOIR
Un incontournable tout comme la petite robe de cocktail. La forme du bout ou du talon change au gré des modes ou des occasions. Il semblerait que nous n'ayons jamais le bon !

23
L'ESCARPIN DE FANTAISIE
Bleu, rouge, ocre ou rose, texturé, en cuir, toile ou en satin, l'escarpin de fantaisie permet de ponctuer une tenue sobre ou classique.

L'ESCARPIN COULEUR NEUTRE
Pratique, il s'agence à toutes vos tenues. Souvent tristounets, les jolis sont difficiles à dénicher, mais se décorent allègrement afin de leur ajouter un brin de gaité.

211
LE PEEK-A-BOO
Variante coquine de l'escarpin, il dévoile le bout des orteils nus et vernis. Idéal pour prolonger l'été. L'hiver, nous le portons uniquement en soirée.

LE DÉCOUPÉ
L'été, tout lui est permis : bout fermé ou bout ouvert, semelle compensée, talon sage ou talon aiguille, de ton sobre ou complètement éclaté. L'hiver, il est réservé aux soirées.

215
LE TALON AIGUILLE
Synonyme de féminité. Plus il est haut plus nous lui succombons. L'élu des femmes audacieuses et qui s'assument.

5

Le fameux stiletto

Complice idéal de la séductrice. Pièce maitresse des fétichistes. Au bout pointu et au talon vertigineux, il est indémodable depuis sa création.

69

La plateforme

Associé au porno-chic, il est descendu dans la rue et porté par les plus téméraires puisque la raideur de sa semelle nous oblige à modifier notre démarche.

133

Nous en réservons une paire plus coquine pour la chambre à coucher.

167

Le Charles IX ou Mary-Jane

Sa bride, qui embrasse et maintient le cou-de-pied, le rend plus confortable que l'escarpin pour aller danser.

247

La sandale de cocktail

Petite merveille qui ose l'extravagance. Tout lui est permis : lamés, frous-frous, fleurs, paillettes, rivets, plumes ou boutons. À consommer sans aucune modération !

249

La sandale d'été

Elle s'affiche colorée et frivole avec ses rubans, courroies, lanières ou lacets ou, au contraire, sage, sobre et neutre. Son talon est de hauteurs et de formes variées.

99

La mule compensée ou la zoccoli

Très polyvalente, elle se porte l'été en toutes occasions. La semelle se décline en liège, caoutchouc, bois… Je ne saurais m'en passer.

32

La mule hollywoodienne

Rendue célèbre par les stars de cinéma des années 50. Les orteils flirtent avec les plumes qui ornent la sangle du pied. Complice de la lingerie fine.

172

La ballerine

Sans prétention, elle constitue le choix par excellence pour reposer les pieds. Les femmes semblent en raffoler et toujours en avoir une paire dans leur sac.

pages

80

Le derby ou le oxford

Se porte avec en tout temps avec un pantalon. Avec une jupe, il nous faut un collant opaque.

225

Le bottillon ou le low-boot

Idéal pour les entre-saisons. Le low-boot, plus court que le bottillon, se montre plus flatteur pour la jambe.

237

Le Richelieu

Lacé et quelque peu rétro. Il se porte très bien avec un tailleur ou des shorts et collants opaques.

187

La cuissarde

Nous en rêvons toutes, mais faut-il savoir les assumer, surtout si elles sont à talons aiguilles. Plus jolie lorsqu'elle moule bien le mollet.

La botte mi-mollet

Complète bien le jeans étroit ou le legging.

La botte au genou

Classique, elle donne une touche d'élégance au tailleur ou à la robe.

La botte de neige

Ai-je besoin de la décrire? Chaude, confortable et le plus souvent dotée d' un talon sage. Indispensable dans les pays nordiques même si nous aimerions nous en passer.

Les baskets

Si vous ne faites pas de course à pied, préférez celles qui s'attachent à la cheville. Pratiques pour le gym ou la marche.

Le flip-flop ou le nu-pied

Réservé à la plage ou à la piscine s'il est en plastique. Celui en cuir peut être porté en ville.

Les pantoufles

La fantaisie est amusante. Lapin ou grenouille sont rigolos. Ou optez plus simplement pour la mule sans talon fourrée de mouton.

Qu'en est-il de la hauteur des talons ? Selon les modes et vos aptitudes à marcher perchée, la hauteur des talons peut varier considérablement. Mais à moins 5 centimètres, peut-on vraiment parler de talons hauts ?

Tous les styles

Babies ou pump : généralement à bout rond munie d'un talon plat. Cousine de la ballerine, elle se différencie par la bride qui embrasse le cou-de-pied.

Ballerine : légère et plate, décolletée à bout rond, ce chausson rappelle celui des danseuses.

Boot ou bottillon : botte courte s'arrêtant à la cheville et à l'allure plus masculine que la bottine.

Botte : à tige montante recouvrant le pied et la jambe jusqu'au genou.

Bottine : botte courte moulant la cheville et souvent fermée à l'aide de boutons, lacets ou élastiques.

Bout golf : de type derby, dont l'empeigne présente plusieurs petites perforations qui soulignent les coutures et le bout de la chaussure.

Cavalière : botte haute au genou et au talon plat

Chanel : escarpin dont le bout se présente d'une couleur différente du reste de la tige. Inventé par la célèbre Coco.

Charles IX ou Mary- Jane : décolleté dont le quartier intérieur est prolongé par une bride et s'attache au cou-de-pied par une bride ou un bouton. Version «adulte» du babies.

Collège ou penny loafer : mocassin à talon bas, pourvu d'une patte décorative cousue sur le plateau. Cette patte peut comporter deux épaisses coutures nommées les rôtis.

Compensé ou wedge : dont la semelle épaisse ne forme qu'un seul bloc avec le talon.

Cuissarde : botte dont la tige monte jusqu'en haut de la cuisse.

Décolleté : aussi nommé escarpin. Il laisse le cou-de-pied entièrement à découvert. La tige qui entoure tout le pied est souvent réalisée en un seul morceau avec une seule couture au talon. La hauteur du talon lui-même est d'au moins 4 cm.

Découpé : laissant le talon nu et apparent. Une bride élastique ou fermée avec une boucle entoure le talon et sert à maintenir la chaussure au pied.

Derby ou Oxford : contrairement au Richelieu, les œillets sont positionnés sur deux empiècements offrant un laçage ouvert sur le cou-de-pied. Le talon est généralement bas.

Escarpin : aussi nommé décolleté. Léger et élégant, laissant le dessus du pied à découvert doté d'un talon d'au moins 4 centimètres.

Espadrille : à tige de toile et semelle de corde.

Lamballe : ballerine dotée d'une ouverture sur les côtés et dont la tige présente deux pattes qui se rejoignent avec un lacet sur le cou-de-pied.

Genouillère : botte haute au genou dont la tige recouvre la partie avant du genou.

Low boot ou ankle boot : botte très courte et coupée juste au dessous de la malléole.

Mocassin : souple et sans système de fermeture (boucle ou lacet). De tradition amérindienne, le plateau cousu à la tige est souvent décoré.

Molière : s'apparente au Richelieu en étant doté d'un bout rapporté à l'avant.

Mule : à bout fermé ou ouvert, sans attaches et laissant le talon à découvert.

Nu-pied : à semelle mince et sans talon retenue au pied par des lanières.

Peek-a-boo : escarpin dont le bout est découpé en son centre afin de laisser un ou deux orteils à nu.

Plateforme : escarpin ou découpé dont la partie avant de la semelle est rehaussée d'une pièce rapportée en cuir, en bois ou toute autre matière, et muni de talons d'une hauteur parfois impressionnante.

Richelieu : contrairement au derby, le laçage est fermé, les lacets étant placés directement sur l'empeigne.

Sabot : semblable à la mule mais fermé au bout et monté sur une semelle de bois.

Salomé : dont l'empeigne se prolonge sur le cou-de-pied par une lanière à bride en forme de T et qui s'attache à la cheville.

Sandale : ouverte, légère et formée d'une simple semelle attachée par un ensemble de courroies, cordons, lanières, lacets ou rubans.

Sandalette : sans talon et composée d'une tige de type salomé. La semelle est cousue à la tige par l'extérieur.

Santiags : botte à bout pointu, au talon oblique, à la semelle épaisse dont la tige est brodée de motifs.

Sneaker ou basket : de type sport, souple, légère et souvent perforée. S'attache sur le cou-de-pied par des lacets ou velcros.

Spartiate : sandale à lanières croisées.

Stiletto ou talon-crayon : escarpin sexy dont le talon très haut (plus de 7 cm) reste fin et longiligne jusqu'à la semelle. Le bout est généralement très pointu.

Talon aiguille : escarpin à haute cambrure et au talon de plus de 7 cm.

Tong ou flip-flop : sandale plate composée d'une semelle fine et d'une bride en V.

Tressé : dont la tige est formée de fines bandelettes entrelacées

Zoccoli : mule dotée d'une large bride fixée sur une épaisse semelle en bois.

Anatomie
de la chaussure

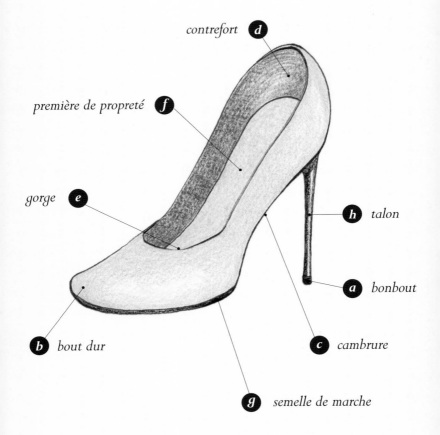

contrefort **d**

première de propreté **f**

gorge **e**

h talon

a bonbout

b bout dur

c cambrure

g semelle de marche

Amorti : renfort de la semelle pour donner plus de confort et absorber les chocs.

Bride : bande plus ou moins étroite qui sert à fermer la chaussure sur le cou-de-pied ou à l'arrière du talon, à l'aide d'une boucle, d'un bouton ou d'un élastique.

Baguette : est l'étroite bande de cuir qui vient cacher la couture qui rassemble les deux quartiers au niveau du talon.

a **Bonbout :** pièce de plastique ou de caoutchouc qui se trouve sous le talon et qui est destinée à être changée lorsqu'elle est usée.

b **Bout dur :** renfort rigide en cuir ou en caoutchouc, placé à l'extrémité avant de la chaussure, afin de conserver le galbe de l'avant de la chaussure et protéger les orteils.

Bout fleuri : bout rapporté ou simulé qui comporte des perforations formant des motifs décoratifs.

Bout rapporté : bout piqué et en surépaisseur sur le devant de la chaussure. Son utilité est surtout esthétique.

Cambrion : pièce de bois, de plastique, de cuir, de métal ou de résine qui maintient la courbe de la cambrure en avant du talon, soutenant ainsi la voûte plantaire. Il a un rôle très important dans le confort de la chaussure.

c **Cambrure :** partie arquée de la chaussure au niveau de la voute plantaire. C'est la partie vide sous une chaussure à talon.

Chaussant : volume intérieur de la chaussure.

Col d'entrée : Morceau de tissu situé à l'ouverture de chaussures, pour plus de confort.

d **Contrefort :** soutien placé entre le dessus de la chaussure et la doublure et servant à éviter l'affaissement de la tige et à maintenir le talon du pied en place.

Doublure : partie intérieure de la chaussure qui est en contact avec le pied. Certaines chaussures ne sont pas doublées.

Emboitage : partie arrière semi-rigide de la chaussure conçue pour épouser la forme du talon et le maintenir en place.

Empiècement : ajout de matériau pour décorer la chaussure.

Empeigne : partie avant de la tige couvrant le cou-de-pied et les orteils.

Enchapure : bout replié et piqué de la partie d'une tige dans laquelle est introduite la barette d'une boucle.

Ferret : petite gaine de plastique ou de métal qui recouvre le bout du lacet.

Garant : partie du laçage délimité par une couture ou un plastron et qui sert de renfort au niveau des œillets.

Glissoire : partie de la doublure placée autour du talon.

Gorge du talon : partie face du talon qui est tourné vers l'avant du pied, rectiligne ou plus ou moins concave.

Jambe : synonyme de tige.

Languette : étroite bande de peau, fixée par une extrémité, qui protège le cou-de-pied sous les lacets ou attaches.

Lanière : étroite bande de cuir, de tissus, de plastique ou toute autre matière que l'on assemble pour former une tige plus ou moins ajourées ou qu'on enroule autour de la cheville ou de la jambe pour maintenir la chaussure au pied.

Lisse : tranche de la semelle et de la trépointe formant l'épaisseur de la semelle.

Oeillets : petits anneaux métalliques évidés, sertis ou rivés sur la tige à l'emplacement des perforations sur la partie avant des quartiers qui permettent de passer les lacets.

Minette : bordure de fourrure naturelle ou synthétique ou de plume qui orne l'entrée d'une pantoufle généralement de style mule.

Pampille : pièce ornementale frangée ayant la forme d'un gland et fixée au bout du lacet.

Passe-orteil : petite bride en forme d'anneau fixée à la semelle afin d'y glisser l'orteil.

Petit point : couture qui assemble la semelle à la trépointe.

Première de montage : partie du dessous de la chaussure sur laquelle repose le pied.

f   **Première de propreté :** fine lamelle de cuir, de tissus ou toute autre matière mince qui est collée sur la première de montage pour donner à la chaussure une meilleure finition. Elle peut être rembourrée pour améliorer le confort. On y grave la marque du fabricant.

Quartiers : pièces en nombres de deux formant la partie arrière de la tige qui entoure le talon et les flancs.

Rainure d'Achille : pièce placée à l'arrière de la tige et entourant le talon du pied au talon qui contribue à assurer une position confortable du talon, sans l'irriter

Semelage : par opposition à la tige, l'ensemble des pièces qui composent le dessous de la chaussure qui se trouve entre le pied et le sol. Ne pas confondre avec la semelle.

g   **Semelle de marche :** partie résistante qui forme le dessous de la chaussure et qui se trouve en contact avec le sol.

Sous-bouts : pièces de cuir superposées pour former le bloc du talon sous le bonbout.

h   **Talon :** pièce rigide de formes et de hauteurs variées constituée des sous-bouts et du bonbout, placée sous l'emboîtage, servant à donner l'aplomb et la portée à la chaussure.

Talonnette : pièce amovible placée à l'intérieur de la chaussure à l'emplacement du talon pour la rendre plus confortable.

Tige : ensemble des parties de la chaussure excluant le semelage.

Tirant : petite bande en forme de boucle, de même matériau que la chaussure et fixée sur la partie supérieure arrière de la tige.

Trépointe : petite bande de cuir souple fixée tout autour de la chaussure et qui fait la jonction entre la tige et le semelage.

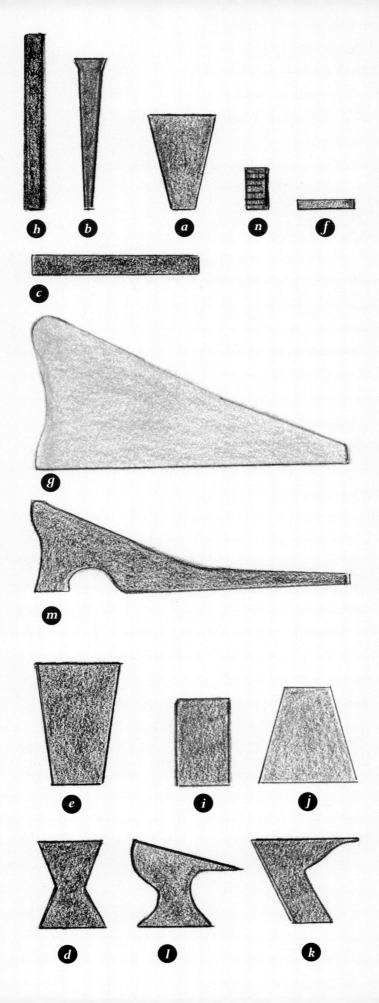

Les talons démystifiés

a   **Talon abattu :** talon évasé vers le haut, donnant un profil en surplomb (inverse du talon talus).

b   **Talon aiguille :** talon effilé vers le bas, terminé par un bonbout de surface très réduite. Il peut atteindre des hauteurs de 15 cm.

Talon baraquette : talon plat et débordant à gorge rectiligne.

c   **Talon bas ou talon plat :** talon court dont les faces supérieures et inférieures sont parallèles.

d   **Talon bobine :** talon haut creusé en son centre à la mi-hauteur et évasé vers le bas.

e   **Talon bottier ou talon rainuré :** talon haut et large décoré de lamelles en cuir superposées ou ayant cet aspect.

f   **Talon chiquet :** talon très plat constitué d'une unique lamelle de cuir ou tout autre matériau.

Talon collant : talon dont le pourtour se situe au même niveau que celui de la chaussure.

g   **Talon compensé :** talon se prolongeant vers l'avant sous la cambrure pour se raccorder à l'appui de la semelle. Parfois appelé talon plein ou talon wedge.

h   **Talon crayon ou talon stiletto :** talon aiguille très haut et très fin du bonbout jusqu'à la semelle.

i   **Talon cubain ou talon quille :** talon habituellement large et de hauteur moyenne, aux côtés rectilignes et dont l'arrière est biseauté.

Talon débordant : talon dont le pourtour est en saillie par rapport à celui de la chaussure.

Talon enrobé ou talon recouvert : se dit d'un talon pourvu d'un revêtement de matériau et de couleur identique à la chaussure.

j **Talon en talus :** talon évasé vers le bas et dont la surface au sol est plus grande que la surface d'emboîtage (inverse du talon abattu).

k **Talon français :** talon plat à gorge incurvée et dont l'arrière est biseauté vers l'avant.

l **Talon Louis XV :** talon au profil concave et au surplomb très accentué et dont la surface en contact avec le sol est plus petite que celle avec la chaussure. La gorge est recouverte par un prolongement de la semelle appelé queue de semelle. Il ressemble à la lampe d'Aladin.

m **Talon semi-compensé :** talon compensé dont la surface inférieure sous la cambrure est légèrement creusée.

n **Talons talonnette :** talon d'une hauteur comprise entre 3,5 et 5 cm. Même s'il est petit, il mérite l'appellation de talon haut en raison de son étroitesse.

le Richelieu

TRUCS ET CONSEILS POUR ENTRETENIR VOS CHAUSSURES

CONSEILS DE BASE

- Ne laissez jamais vos chaussures sans embauchoirs. Sinon, bourrez les pointes de papier soie ou de coton.
- Ne faites jamais sécher vos chaussures à proximité d'une source de chaleur vive.
- Si elles sont mouillées, bourrez-les de papier journal et attendez qu'elles sèchent.
- Alternez. Il ne faut pas porter la même paire deux jours d'affilée. Un délai de 24 heures minimum est requis afin que toute transpiration excessive s'évapore.
- Désinfectez l'intérieur de vos chaussures régulièrement avec un vaporisateur adapté afin d'éviter la prolifération de champignons qui sont source d'odeurs.
- Donnez une nouvelle vie aux semelles extérieures en les changeant tous les deux ans.
- Ne crachez pas sur les cuirs pour les lustrer… la brosse est idéale.
- Pour enlever le calcium, frottez avec un chiffon enduit de vinaigre blanc dilué préalablement dans un peu d'eau.

CUIR

Le cuir est la matière noble la plus utilisée dans la fabrication des chaussures. Ces peaux de bœuf, de buffle, de vache, de porc, de veau, d'agneau ou de cerf, de caribou, de chèvre, de mouton et de reptiles sont sensibles aux éléments. Neige et pluie le fragilisent, soleil et chaleur le dessèchent.

Croûte de cuir: Il s'agit de la partie interne d'un cuir, obtenue par une opération ayant entrainé l'élimination de la couche externe et sur laquelle l'ensemble des points d'implantation des poils, plumes ou écailles se trouve détruit.

Pleine fleur: L'expression s'applique aux cuirs ayant conservé leur fleur d'origine, c'est-à-dire la partie externe de la peau (qui porte les poils).

Nubuck: Ce sont des cuirs ayant subi un ponçage spécifique sur fleur, c'est-à-dire sur la couche externe.

Synderme: C'est un matériau constitué de fibres de cuir liées entre elles par un liant.

Soins

Avant toute chose, nettoyez les chaussures avec un chiffon ou une brosse douce.

Cuir lisse

- Appliquez une crème nourrissante;
- Appliquez un cirage de la même couleur que la chaussure;
- Appliquez le cirage sur la tranche et la cambrure de la semelle (bel effet!);
- Laissez sécher;
- Brossez;
- Passez un chiffon doux en boule afin d'intensifier la brillance;
- Vaporisez une couche de produit protecteur imperméabilisant.

Cuir verni

- Très brillant, il s'égratigne et se salit facilement.
- Nettoyez avec une éponge et de l'eau savonneuse;
- Enlevez les taches avec un chiffon imbibé de dissolvant sans acétone (le même que pour le vernis à ongles);
- Appliquez un soupçon de lait ou de crème légère à l'aide d'un torchon pour l'entretenir et le nourrir.

Nubuck et daim

- Frottez la matière avec une gomme pour daim et nubuck ;
- Nettoyez avec un shampoing doux pour daim et nubuck ou un savon de Marseille. N'hésitez pas à les mouiller ;
- Laissez sécher loin d'une source de chaleur ;
- Brossez la chaussure dans le sens contraire de la peau avec une brosse en laiton ;
- Cirez la tranche de la semelle ;
- Vaporisez d'un produit protecteur conçu à cet effet après le nettoyage. Vous pouvez trouver des produits colorés qui raviveront les couleurs ;
- Afin de leur redonner tout l'aspect naturel, brossez de nouveau.

Croco ou Lézard

- il ne faut absolument pas les cirer car cela risquerait d'abimer les écailles ;
- Hydratez de temps à autre avec de l'huile de vison, disponible chez les chausseurs ou les cordonniers.

Synthétique

- Dépoussiérez puis passez un chiffon.

En toile, textile

- Il ne faut pas les nettoyer tant que la terre ou la boue n'est pas sèche ;
- Frottez avec une brosse souple mais surtout ne les lavez pas à l'eau, ce qui diluerait les saletés.

cuir

textiles

cuir enduit

autres matières

Ma liste de créateurs

ALLEMAGNE	Burak Uyan
ARMÉNIE	Karine Arabian
AUTRICHE	Kurt Geiger
BELGIQUE	Martin Margiela
BRÉSIL	Alexandre Birman Chie Mihara
BULGARIE	Gio Diev
CANADA	Patrick Cox John Fluevog Tracey Neuls Anastasia Radevich Ken Rice Jérôme C. Rousseau Ron White
CHINE	Jimmy Choo
CORÉE	Raphaël Young
COSTA RICA	Abel Muñoz
DANEMARK	Camilla Skovgaard
ESPAGNE	Manolo Blahnik
ÉTATS-UNIS	Brian Atwood Nicole Bründage Tory Burch Thea Cadabra Ruthie Davis Sam Eldelman Tom Ford Alejandro Ingelmo Michael Kors

ÉTATS-UNIS *(suite)*	Ben Levine
	Steve Madden
	Marck Schwartz
	Kate Spade
	Alexander Wang
	Stuart Weitzman
FINLANDE	Minna Parikka
FRANCE	Robert Clergerie
	Christian Dior
	Bruno Frisoni
	Maud Frizon
	Hubert de Givenchy
	Pierre Hardy
	Guillaume Hingray
	Charles Jourdan
	Christian Louboutin
	Benoit Méléard
	André Perugia
	Amélie Pichard
	Valérie Salacroux
	Yves St Laurent
	Rogier Vivier
HOLLANDE	Marloes Ten Brhrömer
ITALIE	René Caovilla
	Marco Censi
	Roberto Del Carlo
	Diego Dolcini
	Salvatore Ferragamo
	Bruno Frisoni
	Guccio Gucci
	Gianmarco Lorenzi
	Bruno Magli
	Cesare Paciotti
	Andrea Pfister
	Miuccia Prada
	Emilio Pucci
	Sergio Rossi
	Rolando Segalin
	Ricardo Tisci
	Valentino (Garavani)
	Giuseppe Zanotti

INDONÉSIE	Pietro Yantorny
ISRAEL	Kobi Levi
MALAISIE	Rupert Sanderson
RÉPUBLIQUE DOMINICAINE	Oscar de la Renta
ROYAUME UNI	L.K.Bennett
	Terry De Havilland
	Georgina Goodman
	Emma Hope
	Nicholas Kirkwood
	Alexandre Mc Queen
	Olivia Morris
	Charlotte Olympia
	Beatrix Ong
	Tabitha Simmons
	Peter Fox
	Vivianne Westwood
	Annabel Winship
SIBÉRIE	Max Kibarden
ZIMBABWE	Adele Clark

Les créateurs sont classés selon leur pays natal.

À PROPOS
DE L'AUTEUR

TINA KARR
tinakarr.com

Formée à la danse classique dès l'âge de 7 ans à l'Académie de ballet du Saguenay, Tina Karr poursuit sa formation de danseuse classique auprès du National Ballet de Toronto. Blessée au dos, elle continue toutefois à nourrir sa passion du mouvement en étudiant le ballet-jazz avec Eddy Toussaint, avant de s'inscrire au programme de théâtre de l'Université du Québec à Chicoutimi.

De retour à Toronto, elle approfondit ses connaissances en mime, en danse contact et en pantomime avec le Mime School Unlimited et en masque, avec le Theater Beyond Words, avant de rejoindre la compagnie de théâtre, Autumn Angel.

Elle est appelée à découvrir le monde de la marionnette auprès du célèbre Jim Henson avant de s'envoler pour la France.

Boursière du Conseil des Arts du Canada, elle s'installe à Paris et étudie le masque, le clown, le bouffon, la *commedia dell'arte*, le mélodrame et le jeu d'acteur avec Philippe Gaulier sans oublier le théâtre corporel avec Monica Pagneux.

Les douze années suivantes la conduisent à se produire en spectacle sur la scène internationale au sein de compagnies prestigieuses telles la Cie Lucien et Madeleine Morisse, la Cie Philippe Genty et le Bread & Puppet theater avec qui elle participe au Festival Mondial des théâtres de marionnettes à Charleville Mézières, France.

Entre deux tournées, elle rencontre son mari français, futur père de ses trois enfants. À la naissance de sa première fille, elle choisit alors de donner des ateliers de formation corporelle auprès des femmes et retourne aux études afin de décrocher un diplôme de 3ième cycle en Management culturel à l'Université de la Sorbonne.

De retour au Québec avec sa famille, elle publie en 2011, son premier livre : *Une mère en talons aiguilles* qui connait un franc succès.

Toujours aussi passionnée par le corps en mouvement et désireuse de répondre aux témoignages de ses lectrices, elle crée et dépose le concept *l'Art de porter les talons hauts* qu'elle enseigne avec ferveur.

Ce livre est la suite logique et naturelle de son parcours et l'aboutissement d'une merveilleuse rencontre avec Sophie Fauquembergue qui a su illustrer avec finesse cet ouvrage destiné à toutes celles qui désirent se réconcilier avec leurs talons hauts.

la sandale cocktail

À PROPOS
DE L'ILLUSTRATRICE

Sophie Fauquembergue
sophiefauquembergue.com

Née en France à Ivry-sur-Seine, près de Paris, Sophie rêve de devenir exploratrice, écrivaine ou réalisatrice. Elle se découvre, dès la tendre enfance, une passion pour le dessin qui se confirmera tout au long de son adolescence.

À 11 ans, elle débute une formation aux arts académiques qui durera 8 ans et pendant laquelle elle apprendra à maitriser différents médiums et techniques de dessin, telles la peinture, la craie, l'encre et le crayon, qu'elle aime aujourd'hui mélanger dans ses œuvres.

Après une spécialisation en Histoire des Arts et du Cinéma au lycée de Boulogne-Billancourt, en France, Sophie intègre en 2006 une classe préparatoire en Arts Appliqués à Sèvres, où elle approfondit ses compétences en design graphique et en illustration.

Majore de sa promotion, elle part au Québec à 19 ans pour parfaire sa formation en graphisme à l'université Laval à Québec et réalise par la même occasion un autre de ses rêves : voyager.

Diplôme en poche, Sophie s'installe à Montréal pour entamer sa carrière d'artiste. Elle fait la rencontre de Tina Karr qui lui propose un projet ambitieux. Cette nouvelle collaboration la plonge dans l'univers de la chaussure qui lui permet d'exprimer tout son talent.

la sandale d'été

Notes

Tina karr